Conversación
y
repaso

SECOND EDITION

INTERMEDIATE
SPANISH

Conversación y repaso

SECOND EDITION

John G. Copeland
University of Colorado

Ralph Kite
University of Colorado

Lynn Sandstedt
University of Northern
Colorado

HOLT, RINEHART AND WINSTON • NEW YORK • CHICAGO • SAN FRANCISCO •
ATLANTA • DALLAS • MONTREAL • TORONTO • LONDON • SYDNEY

Illustration credits appear on page 289.

Library of Congress Cataloging in Publication Data

Copeland, John G.
  Intermediate Spanish.

  Includes index.
  1. Spanish language—Grammar—1950–   I. Kite,
Ralph, joint author. II. Sandstedt, Lynn A., 1932–
joint author. III. Title. IV. Title: Conversación y
repaso.
PC4112.C62 1980   468.2'421   80-23173
ISBN 0-03-0576016

Printed in the United States of America
  1 2 3 4 5   090   9 8 7 6 5 4 3 2 1

Índice

Preface

With the publication of the three texts comprising the First Edition of *Intermediate Spanish,* the materials available for use at the intermediate level took a step in a new direction. The authors had long believed that it would be desirable to have a "package" of materials, unified in content but varied in the possibilities for use in the classroom, which would be flexible enough that the instructor could easily adapt them to his or her own teaching style and particular interests.

With this in mind, we devised the three highly successful texts that make up our complete intermediate level program. *Conversación y repaso* reviews and expands the essential points of grammar covered in the first year and also includes dialogs, abundant exercises, and a variety of activities intended to stimulate conversation. *Civilización y cultura* presents a variety of topics related to Hispanic culture. The approach in this reader is thematic rather than purely historical, and the topics have been chosen both for the insights which they offer into Hispanic culture and for their interest to students. The exercises are designed to reinforce the development of the reading skill, to build vocabulary, and to stimulate class discussion. *Literatura y arte* introduces the student to literary works of various kinds by both Spanish and Spanish-American writers and to the rich and diverse contributions of Hispanic artists to the fine arts. The accompanying exercises also stress the development of reading skills and include vocabulary-building and conversational activities.

One of the unique features of the program is the thematic unity of the three texts. Each unit of each text has the same theme as the corresponding unit of the other two. For example, Unit 1 of the grammar text deals with the subject of European influences on Hispanic culture in its dialogs and conversational activities. The same theme is treated in the essay "Orígenes de la cultura hispánica: Europa," the first unit of the civilization and culture reader, and is further explored in Unit 1 of the literature and art reader in the selection from *El Conde Lucanor* and in the essay on the art of Francisco de Goya y Lucientes. We have found that thematic unity of this kind offers several advantages to the teacher and student: (1) the teacher may combine the basic grammar and conversation text with either or both of the readers and be assured that essentially the same cultural and linguistic information will be presented to the students; (2) the amount of material to be covered may be adjusted through the choice of one text or more, making it possible to balance the quantity of material and the amount of classroom contact available; (3) if one reader is used in the classroom, the other may be used for outside work by those students who wish additional contact with the language; (4) for individualized programs, only those units may be assigned which are relevant to the student's particular interests. If all three texts are used, the students will absorb a considerable amount of vocabulary related to the theme, and by the end of their study of the topic they will have overcome, at least in part, their reluctance to express their own ideas in Spanish. The authors have tested this "saturation" method in the classroom and have found it to be quite effective. We suggest that if all of the materials are used, the grammar and initial dialog should be studied first, followed by the culture text, then the literature text and, finally, the conversation stimulus section of the grammar and conversation text.

In response to the suggestions of users of the First Edition of this highly successful program, the Second Edition of *Intermediate Spanish* has been re-structured to provide a more logical presentation of themes in the three texts. The texts now begin with European influences on Hispanic culture and end with Hispanics in the United States. The chapters in all three books now have identical titles to reflect a stronger correspondence among them with regard to theme, vocabulary and grammar topics. In addition, exercises have been reworked and added to stress common thematic vocabulary found in all three books.

As in the First Edition, this Second Edition of *Intermediate Spanish* contains materials that will be of interest to students of different disciplines. Throughout, our goal has been to present materials that will motivate students to want to know more about the language and culture they are studying.

Introduction

Intermediate Spanish: Conversación y repaso, Second Edition is a review grammar text designed for second year college courses. It is intended to be used with one or both of the authors' readers, *Civilización y cultura* and *Literatura y arte,* but it may also be used with other second year materials. The purpose of the text is to review and expand upon the essential points of grammar covered in the first year and to provide the student with ample opportunity for developing all four language skills. The complete program includes a workbook, which is a combination laboratory manual and written exercise book, and tapes for use in the language laboratory.

The material presented in each of the twelve units of the text consists of the following:

1. An opening dialog, which relates thematically to the corresponding units in the readers *Civilización y cultura* and *Literatura y arte.* These dialogs are not intended for memorization; their purpose is to introduce the vocabulary and grammatical structures that will be studied in each unit. They may also be used for oral reading practice and as a stimulus for conversation.

2. Cultural notes that discuss and clarify some of the more subtle points referred to in the dialogs. This section is intended to expand the student's knowledge and understanding of the various cultures of the Hispanic world.

3. A vocabulary list of the new words presented in the opening dialog. This list is not comprehensive; it contains only those words and idioms that the student would not be expected to know from the first year of Spanish. A complete Spanish-English vocabulary appears at the end of the text.

4. A series of questions on the dialog.

5. A series of personalized questions related to the theme of the dialog.

6. A grammar section, which comprises the major portion of each unit. This section begins with a clear, concise explanation of a particular grammatical concept, accompanied by numerous examples. The concept is then immediately drilled through a series of written and oral exercises. The grammar organization of this text is somewhat unique. The authors have found through extensive teaching experience at the intermediate level that students have great difficulty mastering the subjunctive mood. Because of this, all tenses of the indicative are reviewed and drilled in the first four units of the text. Beginning with Unit 5, a

step-by-step, systematic presentation of the subjunctive is begun. One major use of the subjunctive is presented in each of the subsequent six chapters, thus allowing the student to concentrate on and master one concept before proceeding to the next. We feel that this type of presentation minimizes confusion and misunderstanding on the part of the student.

7. A grammar review section, consisting of exercises on the most important points of grammar presented in the unit. The exercises are designed in such a way that they may be done orally or in writing. Each review section includes an activity that is meant to encourage more student interaction. This section also includes suggested topics for short compositions.

8. A conversation section, comprising a short dialog and one or two activities to stimulate conversation. The dialog can be used for memorization, pronunciation practice, oral paraphrasing, or group discussion. The activities usually include a "value clarification" exercise, in which the student is encouraged to express his or her own feelings and ideas about a variety of contemporary topics. The authors have found that this type of humanizing and personalizing activity highly motivates the student to use the language and leads to a very exciting and stimulating exchange of ideas.

The workbook has three major divisions: a) listening comprehension exercises that expose the student to the vocabulary and grammatical structures of each unit in a variety of new situations, b) oral drills for review and reinforcement of the grammatical concepts presented in each unit, and c) controlled written exercises utilizing the same vocabulary and structures. Answers for these exercises are given in the back of the workbook in order to give the student the opportunity for immediate self-correction. The laboratory tapes stress listening comprehension, oral drill on the important points of grammar, and the development of speaking skills.

ABOUT THE SECOND EDITION
OF CONVERSACIÓN Y REPASO

In addition to reordering several of the basic thematic units to provide a more logical presentation, careful consideration has been given to the editing and expansion of the grammar explanations and corresponding exercises. New personalized question and answer sections have been included after each dialog, and the review sections of each unit have been completely revised to allow for greater flexibility. Activities have been included that will encourage more student interaction and aid in the more effective development of communicative skills in the Spanish language.

It is our sincere hope that the systematic and balanced presentation of material adopted in this text will enable students to master the more difficult points of Spanish grammar and at the same time develop their ability to express themselves in Spanish.

UNIDAD

Orígenes de la cultura hispánica: Europa

1

(*Ramón se encuentra con Elena antes de la clase de español.*)

ELENA   Oye, Ramón, ¿tienes los ejercicios para hoy?

RAMÓN   No, no los tengo. No entiendo bien la explicación del profesor. ¿La entiendes tú?

ELENA   Sí, pero nunca termino los ejercicios. Me duermo mientras los hago.

RAMÓN   Tenemos que distraer al profesor. Cuando empieza a hablar de sus temas predilectos se olvida de la lección.

ELENA   Se me ocurre una idea . . .

RAMÓN   ¡Cállate!—ahí viene.

PROF.   Buenos días, jóvenes. Hoy vamos a estudiar los verbos reflexivos. Estos verbos . . . ¿una pregunta, Elena?

ELENA   Sí, señor. ¿Por qué no nos explica por qué el español y el francés son tan distintos?[1] Nos hablaba de las influencias extranjeras sobre el idioma español, pero sólo hasta los visigodos. . .

PROF.   Ah, sí. Pues bien, la base del español moderno es el latín que hablan los romanos que conquistan la península ibérica en el año 200 antes de Cristo. En el siglo V después de Cristo, invaden la península los visigodos del norte de Europa. Ellos aportan al idioma más de 300 palabras del alemán antiguo. Pero una influencia más importante es la de los moros, que vienen del norte de África.[2] Hay más de 6000 palabras en el español moderno que proceden del árabe, por ejemplo, casi todas las palabras que comienzan con «al» como «almacén», «álgebra», «alcalde», etc.

RAMÓN   ¿En qué época llegan los moros? ¿y cuánto tiempo ocupan la península?

PROF.   Llegan en el año 711 a la península . . .

ELENA   (*a Ramón*) ¡Nos escapamos una vez más!

NOTAS CULTURALES

1. el español y el francés son tan distintos: Los dos idiomas tienen mucho en común, pero también muestran muchas diferencias. Lo mismo se puede decir de las otras lenguas neo-latinas: el italiano, el portugués, el rumano, etc. A veces las diferencias son de ortografía, pero otras veces las palabras son de origen distinto y de evolución variada.

2. los moros, que vienen del norte de África: La invasión de la Península Ibérica por los pueblos islámicos en el siglo VIII sólo llega hasta los Pirineos. Este contacto entre moros y cristianos, que dura hasta 1492, da un sabor distinto a la cultura y también a la lengua española.

VOCABULARIO

alemán *m* German
antiguo,-a old, ancient
aportar to bring into, contribute
árabe *m* Arabic, Arab
base *f* basis
callarse (cállate) to be quiet
conquistar to conquer
distinto,-a different
distraer to distract
dormirse to fall asleep
durar to last
encontrarse (con) to meet

extranjero,-a foreign
ibérico,-a Iberian
idioma *m* language
lengua language
moro,-a Moor
olvidarse (de) to forget
ortografía* spelling
predilecto,-a favorite
romano,-a Roman
sabor *m* flavor
siglo century
visigodo,-a Visigoth

antes de Cristo B.C.
después de Cristo A.D.
se me ocurre occurs to me

Preguntas

1. ¿Por qué no tiene Ramón los ejercicios? 2. ¿Por qué no los tiene Elena? 3. ¿Cuál es la idea de Ramón? 4. ¿Qué van a estudiar hoy? 5. ¿Qué quieren saber Elena y Ramón? 6. ¿Qué lengua es la base del español moderno? 7. ¿Cuáles son algunas de las influencias extranjeras sobre el español? 8. ¿De dónde vienen los moros? 9. ¿Cuántas palabras del español moderno son de origen árabe? 10. ¿Cómo comienzan muchas palabras de origen árabe? 11. ¿Por qué no puede el profesor explicar la lección?

---

* In these vocabulary lists, gender will not be indicated for masculine nouns ending in -o nor for feminine nouns ending in -a, -dad, -tad, -tud, or -ión.

Preguntas Personales

1. ¿Estudia Vd. la lección todos los días?   2. ¿Distrae Vd. a sus profesores?   3. ¿Puede Vd. dar ejemplos recientes de la conquista de una cultura por otra?   4. ¿Cree Vd. que en estos casos hay una influencia lingüística?   5. ¿Cree Vd. que es fácil aprender un idioma extranjero?   6. ¿Puede Vd. entender bien las preguntas en español?   7. ¿Por qué quiere Vd. estudiar español?   8. ¿Tiene Vd. la oportunidad de hablar español? ¿Con quién?

Gramática

Subject Pronouns

A. Forms

Singular	**Plural**
yo	nosotros, -as
tú	vosotros, -as
él	ellos
ella	ellas
usted*	ustedes*

In Latin America the **vosotros** form has been replaced by **ustedes** and its corresponding verb forms, possessives, and object pronouns.

B. Uses

1.   Subject pronouns are not used as frequently in Spanish as in English. They are used mainly for emphasis or for clarification, since the ending of the verb often indicates the subject.

> Vamos a la clase de español, ¿verdad? No, yo no quiero ir.
> *We're going to Spanish class, aren't we? No, I don't want to go.*
>
> ¿Tienes los ejercicios?
> *Do you have the exercises?*
>
> Vivimos en un pueblo pequeño.
> *We live in a small town.*

---

* **Usted** and **Ustedes** may be abbreviated to **Vd., Vds.** or **Ud., Uds. Vd.** and **Vds.** will be used in this text.

2. **Usted** is used somewhat more frequently for both clearness and courtesy.

> ¿Puede Vd. explicar la base del español moderno?
> *Can you explain the basis of modern Spanish?*
>
> Vd. entiende la lección, pero no quiere ir a clase.
> *You understand the lesson, but you don't want to go to class.*

3. The impersonal English subject pronoun *it* is never expressed in Spanish.

> Es imposible hacer la tarea.
> *It is impossible to do the assignment.*
>
> ¿Qué es? Es una palabra extranjera.
> *What is it? It's a foreign word.*
>
> ¿Los cuadros? Son muy bellos.
> *The pictures? They're very beautiful.*

4. Subject pronouns are often used after the verb **ser** (*to be*).

> ¿Quién es el profesor de esta clase? Soy yo.
> *Who is the professor of this class? I am.*

5. Subject pronouns are frequently used when the main verb is not expressed.

> ¿Quién distrae al profesor? Ella.
> *Who distracts the teacher? She does.*
>
> Ellos van a España, pero nosotros no.
> *They are going to Spain, but we aren't.*

Nouns and Articles

A. Singular forms

In Spanish, nouns are often accompanied by articles.

1. Nouns ending in **-o** are usually masculine, and are introduced by a masculine article. Those ending in **-a** are feminine and are introduced by a feminine article.

definite articles		indefinite articles	
the		*a, an*	
el hijo	la hija	un chico	una chica
the son	*the daughter*	*a boy*	*a girl*

2. Some nouns that end in **-a** are masculine.

el día	day	el idioma	language	el problema	problem
el mapa	map	el clima	climate	el programa	program
el drama	drama	el poeta	poet	el cura	priest

3. Some nouns that end in **-o** are feminine.

la mano	hand	la foto	photo
la moto	motorcycle		

4. Nouns ending in **-dad, -tad, -tud, -ión, -umbre,** and **-ie** are usually feminine.

la ciudad	city	la actitud	attitude
la voluntad	will	la conversación	conversation
la muchedumbre	crowd		
la especie	species		

5. Some other nouns can be either masculine or feminine, depending on their meaning.

el capital	money	el corte	cut	el cura	priest
la capital	capital city	la corte	court	la cura	cure

el guía	guide (male)
la guía	guide (female), guidebook

el policía	policeman
la policía	police force, policewoman

6. Other nouns ending in **-s** or in other consonants can be either masculine or feminine.

el paraguas	umbrella	el papel	paper
la crisis	crisis	la pared	wall
el lunes	monday	el rey	king
la tesis	thesis		

7. Nouns ending in **-ista** may be either masculine or feminine.

el pianista	la pianista
el artista	la artista

8. Nouns refering to males are always masculine. Those refering to females are always feminine.

el joven	the young man	el estudiante	the (male) student
la joven	the young lady	la estudiante	the (female) student

B. Plural forms

1. Nouns ending in a vowel add **-s.**

el libro	*book*	los libros	*books*
una chica	*girl*	unas chicas	*girls*

2. Nouns ending in a consonant add **-es.**

    una mujer *woman*   unas mujeres *women*

3. Nouns ending in **-z** change **z** to **c** and add **-es.**

    el lápiz *pencil*   los lápices *pencils*

4. Nouns ending in **-n** or **-s** with an accent mark, generally drop the accent mark in the plural.

    la lección *lesson*   las lecciones *lessons*

Note that nouns of more than one syllable ending in **-n** generally add an accent mark in the plural.

el examen	*exam*	los exámenes	*exams*
la orden	*order*	las órdenes	*orders*

EJERCICIOS

A. Give the definite article for the following nouns.

mapa	drama	maestros
padre	idiomas	clima
ciudades	dificultades	amigas
mercados	conversación	poeta
problema	días	lecciones
españolas	persona	telefonista
muchedumbre	manos	hermana

B. Give the plural of the following articles and nouns.

1.	la joven	6.	el deseo
2.	el autor	7.	la necesidad
3.	la chaqueta	8.	el narrador
4.	la composición	9.	la flautista
5.	el crimen	10.	el padre

The Present Indicative of Regular Verbs

A. Formation

The present indicative of regular verbs is formed by dropping the infinitive ending and adding the personal endings **-o, -as, -a, -amos, -áis, -an,** to the stem of **-ar** verbs; **-o, -es, -e, -emos, -éis, -en** to the stem of **-er** verbs; and **-o, -es, -e, -imos, -ís, -en** to the stem of **-ir** verbs.

hablar *(to speak)*		**comer** *(to eat)*		**vivir** *(to live)*	
hablo	hablamos	como	comemos	vivo	vivimos
hablas	habláis	comes	coméis	vives	vivís
habla	hablan	come	comen	vive	viven

Common verbs that are regular in the present tense:

-ar verbs: aceptar *to accept;* estudiar *to study;* llegar *to arrive;* preguntar *to ask*

-er verbs: aprender *to learn;* comer *to eat;* leer *to read;* vender *to sell*

-ir verbs: abrir *to open;* descubrir *to discover;* recibir *to receive*

B. Uses

1. To describe an action or event in progress or one that occurs regularly or repeatedly.

   Juan estudia en la biblioteca.
   Juan is studying in the library.

   Los Hernández siempre comen a las diez de la noche.
   The Hernández family always eats dinner at 10 p.m.

2. In place of the future tense to give a statement or question more immediacy, or in place of the past tense in narrations to relate a historical event.

   Hablo con ella mañana.
   I'll speak with her tommorrow.

   Los romanos conquistan España en el siglo II.
   The romans conquered Spain in the second century.

3. In place of the imperative to express a mild command or a wish.

> Primero comes el desayuno y después escribes la lección.
> *First eat breakfast and afterwards write the lesson.*

EJERCICIOS

A. Substitution drill. Repeat the model sentence; then insert the new subject and restate the sentence, making all necessary changes.*

1. Hablamos español. (yo / María y yo / tú / Tomás / Elena y Juan / Vd.)
2. Vendo el libro por diez pesos. (Carlos / ellos / Elena y yo / tú / yo / Vd. y Roberto)
3. Asiste a la clase. (Juan y yo / tú / Vd. / los hombres / Vd. y Carmen)

B. Answer the following questions in the affirmative.

1. ¿Tomas el desayuno todos los días?
2. ¿Viven Vds. en la península?
3. ¿Aprendes español?
4. ¿Reciben Vds. cartas de sus amigos?
5. ¿Se olvida Vd. de la lección?

C. Answer the following questions in the negative.

1. ¿Tratan Vds. de resolver el problema?
2. ¿Comprenden Vds. la pregunta?
3. ¿Invitan Vds. al joven a la fiesta?
4. ¿Estudia Vd. mucho?
5. ¿Escribes los ejercicios?

D. Express the following in Spanish.

1. Juan speaks with the professor. He speaks with the professor.
2. It is impossible to distract the professor.
3. We study a lot, but they don't.
4. Are you (pl.) writing the exercises?
5. I'll sell the Spanish books tomorrow.

---

* As explained in this unit, subject pronouns are not used as frequently in Spanish as in English. They are given in the drills as cues.

Stem-Changing Verbs

Some verbs show a stem change in the **yo, tú, él,** and **ellos** forms of the present indicative.

1. The vowel **e** changes to **ie** when it is stressed:

pensar *to think*	**entender** *to understand*
pienso	entiendo
piensas	entiendes
piensa	entiende
pensamos	entendemos
pensáis	entendéis
piensan	entienden

preferir *to prefer*

prefiero
prefieres
prefiere
preferimos
preferís
prefieren

Other common stem-changing **-ar, -er,** and **-ir** verbs are:

cerrar	perder	mentir
comenzar	querer	sentir
despertar		convertir
empezar		

2. The vowel **e** changes to **i** when it is stressed. The changes occur in the **yo, tú, él,** and **ellos** forms:

pedir *to ask for*

pido	pedimos
pides	pedís
pide	piden

Other common verbs with the same stem changes are:

conseguir	servir
repetir	vestir

3. The vowel **o** changes to **ue** when it is stressed. The changes occur in the **yo, tú, él,** and **ellos** forms:

contar *to count*	**poder** *be able*	**dormir** *to sleep*
cuento	puedo	duermo
cuentas	puedes	duermes
cuenta	puede	duerme
contamos	podemos	dormimos
contáis	podéis	dormís
cuentan	pueden	duermen

Other common verbs with the same stem changes are:

almorzar	encontrar	recordar
costar	mostrar	volver

Other stem-changing verbs

Some stem-changing verbs vary somewhat from the above patterns. The verb **jugar** changes **u** to **ue.** The verb **oler** (**o** to **ue**) adds an initial **h** to the forms requiring a stem change.

jugar *to play*		**oler** *to smell*	
juego	jugamos	huelo	olemos
juegas	jugáis	hueles	oléis
juega	juegan	huele	huelen

EJERCICIOS

A. Substitution drill.

1. Quiero ir a la clase de inglés. (nosotros / Carlos / yo / tú / Luz María y Alicia / Vd.)
2. Vuelven de Europa. (yo / tú y yo / Enrique / Vds. / tú / las chicas)
3. Repiten las frases muchas veces. (ellos / yo / Juan y María / Vd. / él / ella y yo)

B. Change the statements to the third person plural.

> MODELO: Contamos la historia.
> *Cuentan la historia.*

1. Queremos ir a Francia.
2. Pensamos terminar los ejercicios.
3. Podemos llegar temprano.
4. Jugamos al tenis.

5. Pedimos permiso.
6. Empezamos a las ocho.
7. Tenemos que ir a la universidad.
8. Preferimos ir con Elena.
9. Servimos la comida.
10. Dormimos bien.

C. Complete each sentence with the appropriate form of the verb in parentheses.

1. (perder) Carlos nunca _____ su dinero.
2. (pensar) Yo _____ salir temprano.
3. (contar) Ellos me _____ la historia.
4. (encontrar) Silvia no _____ el diccionario.
5. (recordar) Y no _____ su explicación.
6. (volver) ¿ _____ tú al pueblo hoy?
7. (poder) Yo no _____ dormir.
8. (jugar) Sus amigos _____ al tenis.
9. (servir) Los jóvenes _____ el desayuno a sus amigos.
10. (repetir) Él _____ los verbos reflexivos.

Orthographic-Changing Verbs

Many verbs undergo a spelling change in the first person singular of the present tense in order to maintain the pronunciation of the stem.

1. Verbs ending in a vowel plus **-cer** or **-cir** have a change from **c** to **zc** in the first person singular.

    conducir: conduzco
    conocer: conozco
    obedecer: obedezco
    ofrecer: ofrezco
    producir: produzco
    traducir: traduzco

2. Verbs ending in **-guir** have a change from **gu** to **g.**

    conseguir: consigo (**e** to **i** stem change)
    distinguir: distingo
    seguir: sigo (**e** to **i** stem change)

3. Verbs ending in **-ger** or **-gir** have a change from **g** to **j.**

    coger: cojo
    corregir: corrijo (**e** to **i** stem change)
    dirigir: dirijo

EJERCICIOS

A. Change the verbs from the first person plural to the first person singular.

    MODELO: Conducimos a Barcelona.
    Conduzco a Barcelona.

1. Conocemos a María.
2. Corregimos las frases.
3. Conseguimos el pasaporte.
4. Cogemos las flores.
5. Traducimos las frases.
6. ¿Seguimos por esta calle?

B. Complete each sentence with the correct present-tense form of the verb in parentheses.

1. Yo (conocer) _____ bien a sus amigos.
2. Los alumnos (traducir) _____ las frases al español.
3. La escuela (ofrecer) _____ clases de idiomas extranjeros.
4. Yo (producir) _____ mucho maíz en mi finca.
5. Yo (conseguir) _____ permiso para ir al partido.
6. El profesor (distinguir) _____ entre los buenos y los malos estudiantes.
7. Yo siempre (obedecer) _____ las regulaciones de la universidad.
8. Nosotros (corregir) _____ la tarea en clase.

The Present Indicative of Irregular Verbs

Many Spanish verbs are irregular in the present tense.

1. Commonly-used verbs that have irregularities only in the first person singular of the present tense are:

caber: quepo, cabes, cabe, cabemos, cabéis, caben
caer: caigo, caes, cae, caemos, caéis, caen
hacer: hago, haces, hace, hacemos, hacéis, hacen
poner: pongo, pones, pone, ponemos, ponéis, ponen
saber: sé, sabes, sabe, sabemos, sabéis, saben
salir: salgo, sales, sale, salimos, salís, salen
traer: traigo, traes, trae, traemos, traéis, traen
valer: valgo, vales, vale, valemos, valéis, valen
ver: veo, ves, ve, vemos, veis, ven

2. Commonly-used verbs that have irregularities in other forms in addition to the first person singular are:

decir:	digo, dices, dice, decimos, decís, dicen
estar:	estoy, estás, está, estamos, estáis, están
haber:*	he, has, ha, hemos, habéis, han
ir:*	voy, vas, va, vamos, vais, van
oír:	oigo, oyes, oye, oímos, oís, oyen
ser:	soy, eres, es, somos, sois, son
tener:	tengo, tienes, tiene, tenemos, tenéis, tienen
venir:	vengo, vienes, viene, venimos, venís, vienen

EJERCICIOS

A. Answer the following questions in the affirmative.

1. ¿Dices la verdad?
2. ¿Oyes música?
3. ¿Vienes temprano?
4. ¿Vas a clase hoy?
5. ¿Pones el libro en la mesa?
6. ¿Sales a las siete?
7. ¿Estás en la clase de español?
8. ¿Sabes la respuesta?
9. ¿Traes el papel y el lápiz a la clase?
10. ¿Eres español?

B. Complete each sentence with the correct form of the verb in parentheses.

1. (decir) Ellos _____ que quieren ir también.
2. (tener) Felipe _____ los ejercicios.
3. (ir) Los jóvenes _____ a la universidad.
4. (oír) Yo no _____ bien.
5. (caber) El papel no _____ en el cuaderno.
6. (valer) Según Miguel, no _____ un centavo.
7. (ver) Yo _____ la torre de la iglesia desde mi ventana.
8. (salir) Nosotros _____ hoy para Chile.
9. (ser) ¿ _____ tú de un pueblo cercano?
10. (haber) _____ muchos estudiantes en la clase.

---

* **Hay** is the impersonal form of the verb **haber.** It means *there is* or *there are.*

** Remember that the verb **ir** is followed by the preposition **a** before a direct object: **Voy a la clase de español.**

Adjectives

A. Singular forms

1. Adjectives agree in gender with the nouns they modify.* The singular endings are **-o** for masculine adjectives and **-a** for feminine ones.

    el muchacho americano   la muchacha americana

2. Adjectives that end in **-dor,** in the masculine are made feminine by adding **-a.** Adjectives of nationality that end in a consonant are also made feminine by adding **-a.**

    un hombre trabajador   una mujer trabajadora
    un coche francés   una bicicleta francesa
    el profesor español   la profesora española

3. Many adjectives are the same in the masculine and feminine.

    un examen difícil   una lección difícil
    un libro interesante   una novela interesante
    el amigo ideal   una chica ideal

B. Plural forms

1. Adjectives form their plurals the same way nouns do. An **-s** is added to adjectives that end in a vowel, and an **-es** is added to those that end in a consonant. If the adjective ends in **z,** the **z** changes to **c** and **-es** is added.

    la corbata roja   las corbatas rojas
    el guitarrista español   los guitarristas españoles
    el niño feliz   los niños felices

2. If an adjective modifies both a masculine and a feminine noun, the masculine plural form is used.

    Los señores y las señoras son simpáticos.
    El libro y la pluma son nuevos.

---

* After **ser,** predicate adjectives agree in number and gender with the subject. **Él es francés. Ellas son francesas.**

C. Position of adjectives

There are two classes of adjectives in Spanish: limiting and descriptive.

1. Limiting adjectives include numerals, demonstratives, possessives and interrogatives. They usually precede the noun:

   dos fiestas   la segunda lección
   algunos compañeros mucho dinero
   ese boleto   nuestra clase

2. Cardinals and possessive (stressed) adjectives may follow the noun when greater emphasis is desired:

   la lección segunda
   un amigo mío *(stressed)*

3. Descriptive adjectives may either precede or follow the noun they modify.

   a. When they follow a noun, they distinguish that noun from another of the same class.

      la casa blanca   el hombre gordo
      la casa verde   el hombre flaco

   b. When they precede a noun, they denote an inherent quality of that noun, that is, a characteristic normally associated with the particular noun.

      los altos picos
      la blanca nieve

   c. Adjectives of nationality and past participles used as adjectives always follow the noun.

      Tiene un coche alemán.
      Es un sistema complicado.

4. Some adjectives change their meaning depending on whether they precede or follow the noun:

   mi viejo amigo   mi amigo viejo
   my old friend (of long standing) *my friend who is old*

   mi antigua profesora   una puerta antigua
   my former teacher   *an ancient door*

el pobre hombre	el hombre pobre
the poor man (unfortunate)	*the poor man (impoverished)*
las grandes mujeres	las mujeres grandes
the great women	*the big women*
varios libros	libros varios
several books	*miscellaneous books*
el mismo cura	el cura mismo
the same priest	*the priest himself*
el único hombre	un hombre único
the only man	*a unique man*
medio hombre	el hombre medio
half a man	*the average man*

5. When two or more adjectives follow the noun, the conjunction **y** is used before the last one.

gente sencilla y pobre	gente sencilla, pobre y oprimida
simple, poor people	*simple, poor, oppressed people*

D. Shortening of adjectives

Some adjectives are shortened when they precede certain nouns.

1. The following common adjectives drop their final **-o** before masculine singular nouns: **uno, bueno, malo, primero, tercero.**

buen tiempo	mal ejemplo
el primer día	tercer viaje
un hombre	

2. Both **alguno** and **ninguno** drop their final **-o** before masculine singular nouns and add an accent on the final vowel.

Algún día llego a tiempo.
Someday I'll arrive on time.

No hay ningún remedio.
There is no solution.

3. **Santo** becomes **San** before masculine saints' names, except those beginning with **Do-** or **To-**.

San Francisco	BUT:	Santo Domingo
		Santo Tomás

4. **Grande** is shortened to **gran** before singular nouns of either gender.

   un gran día
   una gran mujer

5. **Ciento** becomes **cien** before all nouns and before **mil** (*thousand*) and **millones** (*million*). It is not shortened before any other numeral.

   cien hombres
   cien mil coches   BUT: ciento cincuenta jugadores
   cien millones de pesos

EJERCICIOS

A. Change the nouns in the following sentences to the plural, making all other necessary changes.

1. El edificio es moderno.
2. El hombre es inglés.
3. La novela es interesante.
4. La lección es difícil.
5. El chico es feliz.
6. La mujer es vieja.

B. Change the nouns in the following sentences to the feminine, making all other necessary changes.

1. El señor es español.
2. Su primo es simpático.
3. Es un joven trabajador.
4. Es un pianista famoso.
5. El hijo es francés.

C. Change these phrases to the masculine forms.

1. una gran mujer.
2. la pintora alemana.
3. ninguna señora.
4. varias compañeras.
5. alguna amiga.

D. Change the following to the singular.

1. los primeros meses
2. unos malos caminos

3. las grandes mujeres
4. algunos bailes cubanos
5. nuestros buenos compañeros

E. Express the following in Spanish.

1. I see the white snow on the high peaks.
2. Carlos believes that she is a poor, simple woman.
3. His former friends know that he studies with the elderly professor.
4. The other students are selling 100,000 tickets; I'm selling 112.
5. The books on the table describe a unique story.
6. María is the only Spanish student in the school.
7. Some intelligent students don't study much.

The Personal A

A. Uses

The personal **a** is used:

1. when the direct object of the verb refers to a specific person or persons.

    > Él lleva a Marta al baile.
    > *He is taking Marta to the dance.*
    >
    > Invito a tus hijas a la fiesta.
    > *I'm inviting your daughters to the party.*

2. when the direct object of the verb is a personified noun or a domestic animal.

    > Teme a la muerte. Busco a mi perro.
    > *He fears death.* *I'm looking for my dog.*

3. with the indefinites **alguien, nadie, cada uno, alguno (-a)** and **ninguno(-a)**.

    > ¿Ves a alguien en la calle?
    > *Do you see someone (anyone) in the street?*
    >
    > No veo a nadie.
    > *I don't see anyone.*
    >
    > No conozco a ninguno.
    > *I don't know any (of them).*

4. with **¿quién(-es)?** when the expected answer would require a personal **a.**

    ¿A quién ve Paco?
    Whom does Paco see?

    Ve a su mamá.
    He sees his mother.

B. Exceptions

1. There is a tendency to omit the personal **a** before collective nouns.

    Conozco la familia.
    I know the family.

2. The personal **a** is not usually used after **tener.**

    Tengo algunos amigos cubanos.
    I have some Cuban friends.

EJERCICIO

Complete the sentences with the personal **a** where needed.

1. Llama _____ su hija por teléfono.
2. Ellos tienen _____ muchos primos en España.
3. Tratan de encontrar _____ sus libros.
4. Invito _____ los jóvenes al baile.
5. Espero _____ el autobús para ir a la escuela.
6. Paco mira _____ su profesor.
7. Encuentro _____ mis amigas en el café.
8. Ellas oyen _____ la música francesa.
9. Susana visita _____ la casa de su abuela todos los días.
10. Veo _____ mis tíos en la tienda.

REPASO

I. Make statements following the pattern given in the model.

> MODELO: Él vive en España. Habla español. (los chicos)
> *Los chicos viven en España. Hablan español.*

1. María vive en México. Empieza a estudiar inglés. (nosotros / tú / yo / Vd. / Juan y yo / Vds.)
2. El hombre está en casa. Debe salir en seguida. (Elena y Teresa / tú / ellos / Tomás y yo / yo / Vd.)
3. Tomás trabaja en la capital. Es del campo. (las mujeres / yo / tú / Vd. / María / Elena y yo / Vds.)
4. Elena es vieja. No sale nunca. (los hombres / yo / nosotros / Pablo y Juan / Pablo y Vd.)

II. Give a complete sentence in the present tense using the words in the order given. Make all changes that may be necessary and add any elements (articles, prepositions, etc.) that may be missing. Don't forget that **de** contracts with **el: del** and **a** contracts with **el: al.**

1. Ramón / no / querer / ir / clase / hoy
2. Elena / preferir / distraer / profesor
3. Todos / deber / escuchar / explicación / profesor
4. profesor / hablar / influencias / extranjero / sobre / español
5. lengua / español / tener / uno / palabras / alemán
6. árabes / aportar / mucho / palabras / lengua / español / moderno
7. Yo / conocer / bien / influencia / latín / sobre / español
8. estudiantes / discutir / ejercicios / aunque / tener / sueño

III. **Intercambios.** Ask a classmate the following questions. (Be prepared to share this information with the rest of the class.)

1. ¿De dónde eres?
2. ¿Por qué estudias en esta universidad?
3. ¿Qué cursos sigues?
4. ¿Cuál es tu clase favorita?
5. ¿Crees que los idiomas extranjeros son interesantes?
6. ¿Crees que es importante saber más de un idioma?
7. ¿Cómo puedes usar el idioma que estudias?
8. ¿Crees que es necesario saber la base de cada idioma?

IV. **Composición.** Write a composition explaining why you want to learn Spanish.

A conversar

A. Diálogo

Lean Vds. el siguiente diálogo. Después, discutan las ideas de Ángel y de Carmen respecto al uso de palabras extranjeras.

ÁNGEL   Carmen, tengo dos boletos para el partido de baloncesto. ¿Quieres ir conmigo?

CARMEN   ¡Oh, sí! A mí me encanta el básquetbol.

ÁNGEL   Bueno, me alegro, pero no uses esa palabra.

CARMEN   ¿Por qué no? Todos usan «básquetbol». Casi nadie dice «baloncesto».

ÁNGEL   Tienes razón, pero la gente está equivocada. Hay que usar la palabra castiza, más española. No debemos contaminar nuestra lengua con anglicismos.

CARMEN   ¡Uy! Contaminar es una palabra muy fuerte. Entonces, según tu criterio debemos eliminar todas las palabras de origen árabe, las que comienzan con «al», por ejemplo.

ÁNGEL   No digo eso. Esas palabras forman parte del idioma.

CARMEN   ¡Pero, chico! ¡Básquetbol ya forma parte del idioma también!

B. Discusión: Las lenguas y las influencias extranjeras

Indiquen Vds. sus reacciones ante las siguientes ideas. Después, comparen sus reacciones con las de sus compañeros de clase.

1. Cuando uno habla inglés, español u otro idioma, debe . . .
   a. usar cualquier palabra extranjera que quiera.
   b. rechazar completamente el uso de palabras extranjeras.
   c. usar sólo las palabras extranjeras que no tienen equivalente en su lengua.

2. El uso de palabras extranjeras . . .
   a. contamina el idioma.
   b. enriquece el idioma.
   c. no tiene ninguna importancia.

3. La influencia del inglés sobre otros idiomas es . . .
   a. buena, porque el inglés debe ser el idioma dominante en el mundo.
   b. útil, porque presta palabras nuevas que son necesarias.
   c. mala, porque destruye la individualidad de los idiomas.

4. Una lengua debe . . .
   a. mantenerse fija e invariable.
   b. aceptar palabras nuevas pero mantener su estructura fundamental.
   c. adaptarse y evolucionar con el tiempo, incluso en su gramática.

5. Los hablantes de cada idioma deben . . .
   a. reconocer un dialecto oficial y rechazar otros dialectos.
   b. aceptar todos los dialectos, pero usar sólo uno en la lengua escrita.
   c. aceptar todos los dialectos.

6. En el mundo moderno . . .
   a. se necesita una lengua universal como el esperanto.
   b. todos deben aprender lenguas extranjeras.
   c. no es necesario tener una lengua universal ni aprender otras lenguas porque hay traductores.

C. Temas de conversación

1. ¿Sabe Vd. si hoy día el idioma inglés tiene alguna influencia sobre el español? ¿Y sobre otros idiomas? ¿Por qué?
2. ¿Sabe Vd. si el inglés contiene palabras que vienen del español? Dé Vd. algunos ejemplos. (Si necesita inspirarse, puede mirar un mapa de los Estados Unidos.)
3. ¿Qué otras lenguas aportan palabras o expresiones al inglés? Dé Vd. algunos ejemplos.
4. ¿Qué sabe Vd. acerca de la evolución del inglés?
5. ¿Es posible tener una lengua universal? ¿Cree Vd. en la posibilidad de mantenerla uniforme en el mundo entero?

UNIDAD

2

Orígenes
de la cultura
hispánica:
América

(*La discusión continúa.*)

RAMÓN   Todavía no pude estudiar los verbos reflexivos. ¿Y tú?

ELENA   No. Tenemos que distraer al profesor de nuevo. Tú le puedes hacer la pregunta esta vez.

RAMÓN   Bien. Creo que se la voy a hacer sobre el mismo asunto. La última vez habló toda una hora acerca de las influencias extranjeras sobre el español. Le encantó ese tema. Mira, ya está aquí.

PROF.   Buenos días. Hoy vamos a analizar los verbos reflexivos. Ah, sí, Ramón, ¿tienes una pregunta?

RAMÓN   En la clase anterior estábamos comentando eso de las influencias extranjeras. Su discusión fue muy interesante pero solamente llegó hasta los moros. ¿No hubo otras influencias?

PROF.   Claro que hubo otras.

RAMÓN   ¿Cuáles fueron? Hubo influencia de los indios americanos, ¿no?

PROF.   Sí, los españoles tomaron muchas palabras, o lo que llamamos préstamos, de las lenguas indígenas, especialmente del náhuatl y del quechua.[1]

RAMÓN   ¿Por qué?

PROF.   Pues, los españoles encontraron en América muchos animales y plantas desconocidos. Naturalmente, el español no tenía nombres para estas cosas. No les quedó más remedio que incorporar al idioma las palabras que empleaban los indios.

ELENA   ¿Cuáles son algunos de los préstamos?

PROF.   Bueno, entre los comestibles la batata, la papa, el maíz, el chocolate, el tomate y el cacao. Como puedes ver, algunas de estas palabras después pasaron del español al inglés.

RAMÓN   ¿Sólo nombres de comestibles?

PROF.   No, otros también como huracán, tabaco, hule, hamaca, y nombres de animales como el puma, el caimán, el cóndor, y el tiburón. La mayoría de estos préstamos se refieren a cosas naturales. Bueno, y ahora volvamos a los verbos . . .

ELENA   Pero, ¿y después de la influencia de los indios?

PROF.   Después hubo influencia del francés[2] en el siglo XVIII, cuando Francia era un país muy poderoso en Europa. También el inglés influyó mucho[3] en el siglo XX, especialmente en el vocabulario tecnológico. Pero debemos volver a la lección.

RAMÓN   Ya no queda tiempo, profesor.

PROF.   Ah, ¡qué lástima! Ahora ya no pueden hacer preguntas sobre los verbos reflexivos. Aparecen en el examen que vamos a tener al principio de la próxima clase.

ELENA   (*a Ramón*) ¡Ay, Dios mío! ¿Qué hacemos ahora, Ramón?

NOTAS CULTURALES

1. **del náhuatl y del quechua:** El náhuatl es el idioma de los aztecas; el quechua es el de los incas. Estas lenguas todavía se hablan en los países donde hay grandes concentraciones de población india: México, Guatemala, Perú, Bolivia, y El Ecuador.

2. **influencia del francés:** En el siglo XVIII, Francia llegó a dominar la cultura europea. El francés influyó en el español de la época, especialmente en el lenguaje culto, escolar y gubernamental. Esta influencia se limitó a la introducción de galicismos (palabras y frases francesas), que reemplazaron palabras y frases que venían usándose en español. Más tarde hubo una reacción en contra de esta tendencia.

3. **También el inglés influyó mucho:** En los siglos XIX y XX, el poder económico y político de Inglaterra primero y de los Estados Unidos después facilitó la introducción de anglicismos en casi todas las lenguas del mundo.

VOCABULARIO

asunto matter
batata sweet potato
cacao chocolate
caimán *m* alligator
comentar to discuss
comestible *m* food, foodstuff
culto,-a cultured, refined
encantar to delight, enchant
  le encanta he loves
escolar scholastic
hamaca hammock
hule *m* rubber
huracán *m* hurricane

indígena indigenous; Indian
maíz *m* corn, maize
papa potato
poderoso,-a powerful
préstamo loan word
próximo,-a next
quedarle a uno to have left
  no les quedó más
  remedio they had no other
  solution
remedio solution
reemplazar to replace
tecnológico,-a technological
tiburón *m* shark

claro (que) of course
eso de the matter of
lo que what
¡qué lástima! what a shame!

Preguntas

1. ¿Por qué tienen que hacer otra pregunta los alumnos? 2. ¿Quién la va a hacer esta vez? 3. ¿Sobre qué tema es la pregunta? 4. ¿Le gusta al profesor el tema de las influencias extran-

jeras? 5. ¿Hasta dónde llegó el profesor en la clase anterior? 6. ¿De qué influencias habla el profesor hoy? 7. ¿De qué lenguas indígenas tomaron palabras los españoles? 8. ¿Qué son los préstamos? 9. ¿Por qué necesitaban tomar palabras de esas lenguas? 10. ¿Cuáles son algunos de los préstamos? 11. ¿Qué otras lenguas influyeron en el español moderno? 12. ¿Por qué no terminaron la lección? 13. ¿Sobre qué va a ser el examen de la próxima clase?

Preguntas Personales

1. ¿Puede Vd. pensar en unas palabras que usamos en inglés y que son préstamos del idioma español? ¿Cuáles son? 2. ¿Qué sabe Vd. de la civilización de los aztecas? ¿de los incas? 3. ¿Cuál de los comestibles indígenas le gusta más a Vd.? 4. En su opinión, ¿cuál de las civilizaciones indígenas es más interesante, la de los aztecas o la de los incas? ¿Por qué? 5. ¿Le encanta a Vd. estudiar las influencias extranjeras sobre el español? 6. ¿Por qué cree Vd. que es esencial estudiar los verbos de un idioma? 7. ¿Cree Vd. que el estudio de un idioma extranjero le ayuda a entender mejor su propio idioma? ¿Por qué? 8. ¿Quiere Vd. aprender más acerca de las civilizaciones e idiomas indígenas de las Américas? ¿Por qué?

Gramática

The Imperfect Tense

A. Regular verbs

The imperfect tense is formed by dropping the infinitive endings and adding the following endings to the stem: **-aba, abas, aba, -ábamos, -abais,** and **-aban** for -ar verbs; **-ía, -ías, -ía, -íamos, -íais,** and **-ían** for **-er** and **ir** verbs.

llamar *to call*		**comer** *to eat*		**vivir** *to live*	
llamaba	llamábamos	comía	comíamos	vivía	vivíamos
llamabas	llamabais	comías	comíais	vivías	vivíais
llamaba	llamaban	comía	comían	vivía	vivían

B. Irregular verbs

Only three verbs are irregular in the imperfect:

ir: iba, ibas, iba, íbamos, ibais, iban
ser: era, eras, era, éramos, erais, eran
ver: veía, veías, veía, veíamos, veíais, veían

The imperfect tense has the following equivalents:

Tú llamabas
$\begin{cases} \textit{You called} \\ \textit{You used to call} \\ \textit{You were calling} \end{cases}$

EJERCICIOS

A. Substitution drill.

1. Yo siempre preparaba los ejercicios. (nosotros / él / tú / Vds. / Elena)
2. Ellos aprendían a analizar los verbos reflexivos. (Ramón, Elena y yo / tú / Vds. / los estudiantes / yo)
3. Iban a la biblioteca todas las noches. (Elena / yo / él / tú / Juan y yo / Vds.)
4. Ellos eran muy listos. (el profesor / yo / nosotros / la muchacha / tú)
5. Lo veían muchas veces en la clase. (nosotros / tú / Ramón / yo / los estudiantes)

B. Answer the following questions.

1. ¿Vivías en México?
2. ¿Estudiabas español?
3. ¿Comías en la cafetería?
4. ¿Eran Vds. estudiantes de la universidad?
5. ¿Iban Vds. a clase los lunes?
6. ¿Veían Vds. a sus amigos cada día?

C. Change the verbs in the following sentences from the present to the imperfect.

1. ¡Es una discusión magnífica!
2. Encuentran animales desconocidos.
3. Nosotros estamos en casa.
4. Mis amigos viven en la capital.
5. Va a explicar el asunto.
6. Los indios comen batatas.

The Preterite Tense of Regular Verbs

The preterite tense of regular verbs is formed by dropping the infinitive endings and adding the following endings to the stem: **-é, -aste, -ó, -amos, -asteis,** and **-aron,** for **-ar** verbs; **-í, -iste, -ió, imos, isteis,** and **-ieron** for **-er** and **-ir** verbs.

estudiar *to study*		**comer** *to eat*	
estudié	estudiamos	comí	comimos
estudiaste	estudiasteis	comiste	comisteis
estudió	estudiaron	comió	comieron

salir *to leave*	
salí	salimos
saliste	salisteis
salió	salieron

EJERCICIOS

A. Substitution drill.

1. Llamé por teléfono a Elena. (nosotros / tú / Vds. / los chicos / la abuela)
2. Comimos anoche a las ocho. (Elena / mis padres / mi hermano y yo / tú / Vd.)
3. Escribieron los ejercicios en clase. (yo / Elena y Ramón / Vd. / tú / la profesora / nosotros)
4. El profesor aceptó mi invitación. (la chica / los compañeros / tú / Vd. / Elena y Ramón)

B. Answer the following questions in the negative.

1. ¿Entraste tarde en la clase hoy?
2. ¿Comiste con tus amigos anoche?
3. ¿Estudiaste la lección?
4. ¿Asistieron Vds. a la conferencia ayer?
5. ¿Aceptaron Vds. su invitación?
6. ¿Volvieron Vds. de Chicago ayer?

C. Complete each sentence with the preterite form of the word in parentheses.

1. (escribir) El joven _____ una carta ayer.
2. (perder) Tú _____ tus libros.
3. (asistir) Los estudiantes _____ a la clase de historia.
4. (hablar) Las muchachas _____ con el profesor.
5. (trabajar) Mi hermana _____ en la biblioteca.
6. (salir) Nosotros no _____ de casa anoche.

Preterite Tense of Irregular Verbs

1. **Ir** and **ser** have the same forms in the preterite tense.

   ir *to go* = **ser** *to be*

fui	fuimos
fuiste	fuisteis
fue	fueron

   Paula **fue** a la clase anoche.
   Paula went *to class last night.*

   Fue una clase interesante.
   It **was** *an interesting class.*

2. **Dar** and **ver** are also irregular in the preterite.

dar:	di, diste, dio
	dimos, disteis, dieron
ver:	vi, viste, vio
	vimos, visteis, vieron

3. Verbs with **u** in the stem.

andar:	anduve, anduviste, anduvo
	anduvimos, anduvisteis, anduvieron
estar:	estuve, estuviste, estuvo
	estuvimos, estuvisteis, estuvieron
caber:	cupe, cupiste, cupo
	cupimos, cupisteis, cupieron
haber:	hube, hubiste, hubo
	hubimos, hubisteis, hubieron
poder:	pude, pudiste, pudo
	pudimos, pudisteis, pudieron
poner:	puse, pusiste, puso
	pusimos, pusisteis, pusieron
saber:	supe, supiste, supo
	supimos, supisteis, supieron
tener:	tuve, tuviste, tuvo
	tuvimos, tuvisteis, tuvieron

4. Irregular verbs: verbs with the **i** and **j** changes in the stem.

hacer:	hice, hiciste, hizo
	hicimos, hicisteis, hicieron
querer:	quise, quisiste, quiso
	quisimos, quisisteis, quisieron
venir:	vine, viniste, vino
	vinimos, vinisteis, vinieron

decir:	dije, dijiste, dijo
	dijimos, dijisteis, dijeron
producir:*	produje, produjiste, produjo
	produjimos, produjisteis, produjeron
traer:	traje, trajiste, trajo
	trajimos, trajisteis, trajeron

Note that the verbs in items 3 and 4 above have the same irregular preterite endings.

A. Orthographic-changing verbs

1. Verbs ending in **-car, -gar,** and **-zar** make the following changes in the first person singular of the preterite:

-car:	**c** to **qu**
-gar:	**g** to **gu**
-zar:	**z** to **c**
buscar:	busqué, buscaste, buscó,
	buscamos, buscasteis, buscaron
llegar:	llegué, llegaste, llegó,
	llegamos, llegasteis, llegaron
empezar:	empecé, empezaste, empezó,
	empezamos, empezasteis, empezaron

2. Certain **-er** and **-ir** verbs change **i** to **y** in the third person singular and plural.

caer:	caí, caíste, cayó,
	caímos, caísteis, cayeron
creer:	creí, creíste, creyó,
	creímos, creísteis, creyeron
leer:	leí, leíste, leyó,
	leímos, leísteis, leyeron
oír:	oí, oíste, oyó,
	oímos, oísteis, oyeron

B. Stem-changing verbs

1. Stem-changing **-ir** verbs that change **e** to **ie** or **o** to **ue** in the present tense change **e** to **i** and **o** to **u** in the third person singular and plural forms of the preterite.

---

* Other verbs ending in **-ducir** conjugated like **producir: conducir, traducir.**

preferir		**dormir**	
preferí	preferimos	dormí	dormimos
preferiste	preferisteis	dormiste	dormisteis
prefirió	prefirieron	durmió	durmieron

2. Verbs such as **repetir** and **pedir** change **e** to **i** in the third person singular and plural of the preterite.

repetir		**pedir**	
repetí	repetimos	pedí	pedimos
repetiste	repetisteis	pediste	pedisteis
repitió	repitieron	pidió	pidieron

3. The majority of **-ar** and **-er** stem-changing verbs in the present tense are regular in the preterite.

EJERCICIOS

A. Substitution drill.

1. Repetimos cada frase tres veces. (yo/ los alumnos/ él/ tú/ la clase y yo)
2. ¿Dónde estuvo Vd. ayer por la noche? (las muchachas/ mi novio/ tú/ los músicos)
3. Buscamos una mesa desocupada. (tú/ los señores/ yo/ el joven/ Elena y Rosa/ mis amigas y yo)
4. Oímos discos de ritmos latinoamericanos. (tú/ los turistas/ Vd./ yo/ las señoritas)
5. Llegó a España anoche. (nosotros/ Vds./ tú/ Ramón/ yo/ las abuelas)
6. La profesora dijo la verdad. (los padres/ el esposo/ tú/ Vd./ yo/ las chicas)
7. El domingo fuimos a la iglesia. (yo/ la familia/ los tíos/ tú/ mi compañera y yo)

B. Change the verbs to the preterite.

1. Él hace un viaje a México.
2. La muchacha no puede estudiar.
3. Ponemos los cuadernos en la mesa.
4. ¿No traes el dinero?
5. Vengo a las siete.
6. El profesor no quiere explicar la lección.
7. Mi amiga tiene buena suerte.
8. Ellos van a la fiesta.

C. Change the verbs to the first person singular of the preterite.

1. Tocamos la trompeta.
2. Pagamos la cuenta en la tienda.
3. Comenzamos a trabajar a las siete.
4. Jugamos al tenis el sábado.
5. Empezamos los ejercicios para la próxima clase.
6. Buscamos a las muchachas para invitarlas al cine.
7. Almorzamos en un restaurante francés.
8. Dedicamos este poema a la profesora.

Uses of the Imperfect and the Preterite

A. Summary of uses

The two simple past tenses in Spanish, the imperfect and the preterite, have specific uses and express different things about the past. They cannot be interchanged.

The imperfect is used:

1. to tell that an action was in progress or to describe a condition that existed at a certain time in the past.

   Estudiaba en España en aquella época.
   He was studying in Spain at that time.

   En el cine yo reía mientras los demás lloraban.
   In the movie theater I was laughing while the rest were crying.

   Había muchos estudiantes en la clase de química.
   There were a lot of students in the chemistry class.

   Hacía mucho frío en la sala de conferencias.
   It was very cold in the lecture hall.

2. to relate repeated or habitual actions in the past.

   Mis amigas estudiaban todas las noches en la biblioteca.
   My friends used to study every night in the library.

   Los chicos viajaban por la península cada verano.
   The boys used to travel through the peninsula every summer.

3. to describe a physical, mental, or emotional state in the past.

   Los jóvenes estaban muy enfermos.
   The young people were very ill.

No comprendíamos la lección.
We didn't understand the lesson.

Yo creía que Juan era rico.
I thought that Juan was rich.

La chica quería quedarse en casa.
The girl wanted to stay at home.

4. to tell time in the past.

Eran las siete de la noche.
It was seven o'clock in the evening.

The preterite is used:

1. to report a completed action, or an event in the past, no matter how long it lasted or how many times it took place. The preterite views the act as a single, completed past event.

Fuimos a clase ayer.
We went to class yesterday.

Llovió mucho el año pasado.
It rained a lot last year.

Traté de llamar a Elsa repetidas veces.
I tried to call Elsa many times.

Salió de casa, fue al centro y compró el regalo.
She left the house, went downtown, and bought the gift.

2. to report the beginning or the end of an action in the past.

Empezó a hablar con los estudiantes.
He started to talk with the students.

Terminaron la tarea muy tarde.
They finished the assignment very late.

3. to indicate a change in mental, physical, or emotional state at a definite time in the past.

Después de la explicación lo comprendimos todo.
After the explanation we understood everything.

B. The preterite and the imperfect used together

1. The preterite and imperfect tenses can best be understood by examining their use together in the same sentence.

El profesor hablaba cuando Elena entró.
The professor was talking when Elena entered.

Él explicaba las influencias extranjeras cuando terminó la clase.
He was explaining the foreign influences when the class ended.

Me dormí mientras hacía los ejercicios.
I fell asleep while I was doing the exercises.

In the above sentences, note that the imperfect describes the way things were or what was going on while the preterite relates a completed act that interrupted the scene or action.

2. Note the use of the preterite and the imperfect in the following paragraph.

Los españoles llegaron a América en 1492, donde se encontraron con los indígenas de este nuevo mundo. Los indígenas eran de una raza desconocida. Todo era distinto incluyendo el color de su piel, sus ropas, sus costumbres y sus lenguas. Los españoles creían que estaban en la India y por eso llamaron a los habitantes de estas tierras «indios».

Cuando los españoles empezaron a explorar estos territorios nuevos supieron que ya había tres civilizaciones muy avanzadas: la maya, la azteca y la incaica. Estos indios tenían sus propios sistemas de gobierno, sus propias lenguas y en cada civilización la religión hacía un papel muy importante en la vida diaria de la gente. Había muchos templos religiosos y los indios participaban en muchas ceremonias dedicadas a sus dioses. Había muchas diferencias entre la cultura de los españoles y la de los indios. Por eso los españoles no pudieron entender bien a los indios ni los indios a los españoles.

The Spanish arrived (completed act) in America in 1492 where they found (completed act) the native inhabitants of this new world. The natives were (description) from an unknown race. Everything was (description) different including the color of their skin, their clothing, their customs, and their languages. The Spanish believed (thought process) that they were (location over a period of time) in India and therefore called (completed act) the inhabitants of these lands "Indians".

When the Spanish started (beginning of an act) to explore these new territories they found out (meaning of saber in the preterite) that there were (description) already three very advanced civilizations; the Mayan, the Aztec, and the Incan. These Indians had (description) their own systems of government, their own languages and in each civilization religion played (description) a very important role in the daily life of the people. There were (description) many religious temples and the Indians participated (continuous or habitual act) in many ceremonies dedicated to their gods. There were (description) many differences between the culture of the Spanish and the ones of the Indians. For that reason the Spanish could not understand (tried but failed) well the Indians nor the Indians the Spanish.

C. Verbs with special meanings in the preterite

In the imperfect tense, some verbs describe a physical, mental, or emotional state, while in the preterite they report a changed state or an event.

conocer: Conocí a Elena anoche. | ¿Conocías a Elena en aquella época?
I met (became acquainted with) Elena last night. | Did you know Elena at that time?

saber: Supo que ella salió temprano. | Sabía que ella salió temprano.
He found out that she left early. | He knew that she left early.

querer: Quiso llamarla. | Quería llamarla.
He tried to call her. | He wanted to call her.

No quiso hacerlo. | No quería hacerlo.
He refused to do it. | He didn't want to do it.

poder: Pudo hacerlo. | Podía hacerlo.
She succeeded in doing it (managed to do it). | She was able to do it (capable of doing it).

No pudo hacerlo. | No podía hacerlo.
She failed to do it. | She wasn't able to do it.

EJERCICIOS

A. Complete the following sentences with either the preterite or the imperfect tense of the verbs in parentheses.

1. Mi amigo _____ (estudiar) cuando yo _____ (entrar).
2. Los invitados _____ (comer) cuando mis padres _____ (llegar).
3. Ella _____ (salir) mientras el reloj _____ (dar) las seis.
4. Nosotros _____ (dormir) cuando el policía _____ (llamar) a la puerta.
5. Yo _____ (hablar) con el profesor cuando los estudiantes _____ (entrar) en la clase.
6. Siempre me _____ (llamar) cuando él _____ (estar) en la ciudad.

7. La chica _____ (ser) muy bonita. Ella _____ (tener) pelo rubio y ojos verdes.
8. Los moros _____ (invadir) España en 711 y _____ (salir) en 1492.
9. Ramón _____ (ir) a la biblioteca y _____ (estudiar) por dos horas.
10. Cuando nosotros _____ (estar) de vacaciones en la península, _____ (hacer) calor todos los días.

B. Rewrite the following paragraph, changing all verbs from the present tense to either the imperfect or preterite.

Son las tres de la tarde. Ramón está en casa. Hace buen tiempo y por eso decide llamar a Elena para preguntarle si quiere dar un paseo con él. Llama dos veces por teléfono pero nadie contesta. Entonces sale de casa. Anda por la plaza cuando ve a Elena frente a la catedral. Ella está con su amiga Concha. Ramón corre para alcanzarlas. Cuando ellas lo ven, lo saludan con gritos y risas. Ramón las saluda y empieza a hablar con Elena. No hablan por mucho tiempo porque las chicas tienen que estar en casa de Concha a las cinco y ella vive muy lejos. Ramón conoce a Concha también pero ella nunca lo invita porque cree que él es muy antipático. Por eso los jóvenes se despiden y Ramón le dice a Elena que va a llamarla más tarde.

C. Express the following in Spanish.

1. He called her last night.
2. They used to call us every day.
3. She went to the movie theater at 8:00.
4. I used to go to the mountains every summer.
5. We found out that the Romans came to Spain in 200 B.C.
6. It was five o'clock when they arrived.
7. He met Mary last night, but he refused to talk with her.
8. They were dancing when the guests arrived.
9. We lived in Mexico at that time.
10. They came to Spain when he was five years old.
11. My mother knew him when he came to this country.
12. She knew the history of Spain well, but she wanted to ask more questions.
13. Elena went to the window, saw the children in the patio, and started to smile.
14. They couldn't understand the use of the reflexive verbs because they didn't read the explanation.

Direct Object Pronouns

A. Forms and usage

me	*me*	nos	*us*
te	*you*	os †	*you*
lo*	*him, you, it*	los	*them, you*
la	*her, you, it*	las	*them, you*

Direct object pronouns take the place of nouns used as direct objects. They agree in gender and number with the nouns they replace.

Compro **la** revista.	**La** compro.
Necesitan **los** zapatos.	**Los** necesitan.

B. Position

1. They normally precede the conjugated form of a verb.

    > **Me** ven en la escuela.   **Lo** tengo aquí.
    > *They see me at school.*   *I have it here.*

2. They usually follow and are attached to an infinitive.

    > Salió sin hacer**lo**.   Traje los libros para vender**los**.
    > *He left without doing it.*   *I brought the books to sell them.*

    However, when an infinitive immediately follows a conjugated verb form, the pronoun may either be attached to the infinitive or placed before the entire verb phrase.

    > Enrique quiere comprar**las**.
    > *or*
    > Enrique **las** quiere comprar.
    > *Enrique wants to buy them.*

NOTE: The position of object pronouns with the present participle, the progressive tenses, and commands will be treated in subsequent units.

---

* In Spain, **le** is generally used instead of **lo** to refer to people *(masculine)*. **Lo** is the preferred form in Latin America.

† In Latin America the **os** form has been replaced by **los** and **las**.

EJERCICIOS

A. Change the words in parentheses to direct object pronouns and then insert the pronouns in the original sentence.

> MODELO: Yo te llamé. (Vd.)
> *Yo lo llamé.*

1. Juan me ve. (nosotros/tú/ellos/ella/él/ellas/yo)
2. Nosotros lo leemos. (la carta/el artículo/los periódicos/las novelas)
3. Quiero verla. (las montañas/la playa/ellos/tú/el pueblo/Tomás/las revistas)
4. Salió sin escribirlo. (las cartas/el cuento/la composición/los artículos)

B. Change the words in italics to a direct object pronoun and restate each sentence, placing the pronoun in its proper position.

1. Los alumnos estudian *los verbos reflexivos.*
2. Las mujeres salieron sin pagar *la cuenta.*
3. Cristóbal Colón descubrió *el Nuevo Mundo.*
4. Elena quiere discutir *la historia de la lengua española.* (two ways)
5. Estaba muy cansado después de terminar *el trabajo.*
6. Los moros conocían bien *las tierras de España.*
7. Ellos leen *los libros históricos.*
8. Después de encontrar *una silla desocupada,* se sentó.
9. El profesor explicó *las influencias extranjeras.*
10. Los españoles conquistaron *a los moros* en 1492.

C. Answer the following questions in the affirmative, changing all direct object nouns (in italics) to pronouns.

> MODELO: ¿Leíste *el periódico?*
> *Sí, lo leí.*

1. ¿Escribiste *las cartas?*
2. ¿Estudiaste *la lección?*
3. ¿Comiste *toda la comida?*
4. ¿Compraste *los libros?*
5. ¿Vendiste *el coche?*
6. ¿Aprendieron Vds. *los verbos?*
7. ¿Buscaron Vds. *las llaves?*
8. ¿Entendieron Vds. *la conferencia?*
9. ¿Dijeron Vds. *la verdad?*
10. ¿Hicieron Vds. *los ejercicios?*

The Reflexive Verbs and Pronouns

A. The reflexive construction is used when the action of the verb reflects back and acts upon the subject of the sentence. The pronoun **se** is attached to the infinitive to indicate that the verb is reflexive.

> Me levanto a las ocho.
> *I get (myself) up at 8:00.*
>
> Se llama Elena.
> *Her name is Elena. (She calls herself Elena.)*

> **levantarse**   *to get up*
> me levanto   nos levantamos
> te levantas   os levantáis
> se levanta   se levantan

NOTE: The appropriate reflexive pronoun must accompany each conjugated form of the verb.

B. The reflexive pronouns may either precede a conjugated form of a verb or follow and be attached to the infinitive.

> ¿Vas a bañar**te** ahora?
> ¿No **te** vas a bañar ahora?

NOTE: The Spanish reflexive often translates *to become* or *to get* plus an adjective. The verb **ponerse** plus various adjectives also translates *to become* or *to get*.

acostumbrarse   *to get used to* enojarse   *to become angry*
casarse   *to get married*   ponerse pálido   *to get pale*
enfermarse   *to get sick*   ponerse triste   *to become sad*

B. Verbs used reflexively and non-reflexively

1. Many Spanish verbs may be used reflexively or non-reflexively; the use of the reflexive pronoun changes the meaning of the verb.

FOR EXAMPLE:

> Lavo mi coche todos los sábados.
> *I wash my car every Saturday.*
>
> Me lavo antes de comer.
> *I wash (myself) before eating.*

2. Note the following verbs:

acercar *to bring near*	acercarse (a) *to approach*
acordar *to agree (to)*	acordarse (de) *to remember*
acostar *to put to bed*	acostarse *to go to bed*
bañar *to bathe (someone)*	bañarse *to bathe (onself)*
burlar *to trick, deceive*	burlarse (de) *to make fun of*
decidir *to decide*	decidirse (a) *to make up one's mind*
despedir *to discharge, fire*	despedirse (de) *to say goodbye*
despertar *to awaken (someone)*	despertarse *to wake up*
divertir *to amuse*	divertirse *to have a good time*
dormir *to sleep*	dormirse *to go to sleep*
enojar *to anger (someone)*	enojarse *to get angry*
fijar *to fix, fasten*	fijarse (en) *to notice*
hacer *to do, make*	hacerse *to become*
levantar *to raise, lift*	levantarse *to get up*
llamar *to call*	llamarse *to be called, to be named*
negar *to deny*	negarse (a) *to refuse*
parecer *to seem, appear*	parecerse (a) *to resemble*
poner *to put, place*	ponerse *to put on (clothing)*, ponerse a *to begin*
preocupar *to preoccupy*	preocuparse (de, por, or con) *to worry about*
probar *to try, taste*	probarse *to try on*
quitar *to take away, remove*	quitarse *to take off*
sentar *to seat someone*	sentarse *to sit down*
vestir *to dress (someone)*	vestirse *to get dressed*
volver *to return*	volverse *to turn around*

3. The following verbs are normally reflexive:

atreverse (a) *to dare*	jactarse (de) *to boast*
arrepentirse (de) *to repent*	quejarse (de) *to complain*
darse cuenta (de) *to realize*	suicidarse *to commit suicide*

C. Reflexive pronouns for emphasis

Colloquially, a reflexive pronoun may be used to intensify an action or to emphasize the personal involvement of the subject. Note the following conversational examples:

Se me murió el abuelo el año pasado.
My grandfather died last year.

¿Los viajes? Me los pago yo.
The trips? I'm paying for them.

Lo siento, me lo comí todo.
I'm sorry, I ate it all up.

EJERCICIOS

A. Substitution drill.

1. Ella quiere ponerse los zapatos. (las chicas / yo / mis hermanas y yo / tú / Vd.)
2. Yo me acuesto temprano todas las noches. (nosotros / los estudiantes / su tío / tú / Juanita y yo / Vds.)
3. Se enojó con las chicas. (yo / los esposos / Vd. / tú / ellas)

B. Answer the following questions in the negative.

1. ¿Te levantaste temprano hoy?
2. ¿Se lavaron Vds. las manos antes de comer?
3. ¿Se acostó Vd. tarde anoche?
4. ¿Se dieron cuenta de la situación?
5. ¿Te dormiste durante la conferencia?

C. Answer the following questions in the affirmative.

1. ¿Te sentabas en el mismo lugar todos los días?
2. ¿Se preocupaban Vds. mucho de sus estudios?
3. ¿Se acostaba Vd. a las nueve todas las noches?
4. ¿Te burlabas de él muchas veces?
5. ¿Se quejaban Vds. de sus clases con frecuencia?

D. Express the following in Spanish.

1. We used to get up late.
2. They washed the dishes before leaving.
3. My friend's name is Elena.
4. They sat down at that table.
5. She became angry.
6. They complained about the exercises.
7. He wanted to marry Rosa.
8. He always fell asleep during his classes.
9. They said good-bye to their friends.
10. He is getting used to eating early.
11. They noticed the picture in the living room.
12. I used to go to bed at ten.

The Verbs *Ser* and *Estar*

The verbs **ser** and **estar** both translate the English verb *to be*. However, their usages in Spanish are quite different. They can never be interchanged without altering the meaning of a sentence or in certain contexts producing an incorrect sentence.

A. Estar is used:

1. to express location:

    La ciudad de Granada está en España.
    The city of Granada is in Spain.

    Ellos están en la clase de español.
    They are in the Spanish class.

2. to indicate the condition or state of a subject when that condition is variable or when it is a change from the norm. Note that in some of the examples below **estar** can be translated by a verb other than *to be(to look, to taste, to seem, to feel,* etc.).

La ventana está sucia.	Juan está muy alegre hoy.
The window is dirty.	*Juan is (seems) very happy today.*
Yo estoy cansado.	¡Qué delgada está Teresa!
I am (feel) tired.	*How thin Teresa is (looks)!*
La cena está lista.	La sopa está riquísima.
The dinner is ready.	*The soup is (tastes) delicious.*

3. with past participles to describe a state or condition that is the result of an action:

    El profesor cerró la puerta. La puerta está cerrada.
    The professor closed the door. The door is closed.

    El autor escribió el libro. El libro está escrito.
    The author wrote the book. The book is written.

4. with the present participle to form the progressive tenses:*

    Los estudiantes están analizando los verbos reflexivos.
    The students are analyzing the reflexive verbs.

---

* See Unit 3.

B. Ser is used:

1. to describe an essential or inherent characteristic or quality of
    the subject:

    Su hija es muy bonita.   Son ricos.
    Your daughter is very pretty.   *They are rich*

    Mi primo es muy gordo.   La isla es pequeña.
    My cousin is very fat.   *The island is small.*

2. with a predicate noun that identifies the subject:

    El señor Pidal es profesor.   María es ingeniera.
    Mr. Pidal is a professor.   *María is an engineer.*

    Juan es el cónsul español.   Ramón es su amigo.
    Juan is the Spanish consul.   *Ramón is her friend.*

3. with the preposition **de** to show origin, possession, or the
    material from which something is made:

    Roberto es de España.   El reloj es de oro.
    Roberto is from Spain.   *The watch is (made of) gold.*

    El libro es de Teresa.   La casa es de madera.
    The book is Teresa's.   *The house is made of wood.*

4. to express time and dates:

    Son las ocho.   Es el cinco de mayo.
    It's eight o'clock.   *It's the fifth of May.*

5. when *to be* means "to take place":

    La conferencia es aquí a las seis.
    The lecture is (taking place) here at 6:00.

    El concierto fue en el Teatro Colón.
    The concert was (took place) in the Columbus Theater.

6. to form impersonal expressions (es fácil, es difícil, es posible,
    etc.):

    Es necesario entender los tiempos del verbo.
    It is necessary to understand the verb tenses.

7. with the past participle to form the passive voice. (This will be discussed further in Unidad 11.)

> El fuego fue apagado por el viento.
> *The fire was put out by the wind.*
>
> La lección fue explicada por el profesor.
> *The lesson was explained by the professor.*

C. *Ser* and *estar* used with adjectives.

1. It is important to note that both **ser** and **estar** may be used with adjectives. However, the meaning or implication of the sentence changes depending upon which verb is used.

ser	**estar**
Elena es bonita.	Ella está bonita hoy.
Elena is pretty (a pretty girl).	*She looks pretty today.*
Tomás es pálido.	Tomás está pálido.
Tomás is pale-complexioned.	*Tomás looks pale.*
Él es bueno (malo).	Está bueno (malo).
He's a good (bad) person.	*He's well (ill).*
Es feliz (alegre).	Está feliz (alegre, contenta).
She's a happy (cheerful) person.	*She's in a happy (cheerful, contented) mood.*
El profesor es aburrido.	Está aburrido.
The professor is boring.	*He's bored.*
La máquina es segura.	La máquina está segura.
The machine is a safe one.	*The machine is in a safe place.*
José es enfermo.	José está enfermo.
José is a sickly person.	*José is sick (now).*
Las sandalias son cómodas.	Estas sandalias me están muy cómodas.
Sandals are (generally) comfortable.	*These sandals are very comfortable on me.*

EJERCICIOS

A. Complete the following sentences with the correct present tense form of **ser** or **estar.**

1. La casa de Patricia _____ muy lejos de aquí.
2. Su casa _____ de ladrillo.
3. Marina _____ la esposa de Juan.
4. Mi amigo _____ muy cansado hoy.
5. _____ el primero de octubre.
6. Esta sopa _____ muy caliente.
7. Él _____ muy buena persona, pero _____ enojado ahora.
8. Mi primo siempre _____ enfermo.
9. _____ más ricos que los reyes de España.
10. Ya_____ apagado el fuego.
11. Elena _____ bonita, y hoy _____ más bonita que nunca.
12. ¿De quién _____ este libro?
13. ¿Dónde _____ la fiesta?
14. Yo _____ muy contento porque los zapatos me _____ muy cómodos.
15. El libro _____ muy aburrido y por eso yo _____ aburrido.

B. Change the verbs and subjects from the singular to the plural.

1. La muchacha es francesa.
2. Un profesor es de España.
3. Soy alumna de esta universidad.
4. ¿De dónde eres tú?
5. El ejercicio es fácil.

C. Complete the following with the imperfect tense of **ser** or **estar,** depending upon the meaning of the sentence.

_____ las siete cuando Enrique se despertó. _____. el día de los exámenes finales y él _____ muy nervioso. Su primer examen _____ a las nueve y quería llegar temprano para poder estudiar. Después de vestirse, empezó a buscar los libros. No _____ en la sala ni en el estudio. Al fin, su madre le dijo que _____ detrás de la puerta de su cuarto. Ahora _____ más contento y salió para la escuela. Cuando llegó, ya _____ sus amigos en la biblioteca. _____ muy aburridos de esperar tanto pero no dijeron nada. Todos _____ seguros de que iban a salir mal en el examen. _____ las nueve menos cinco. Ya _____ muy tarde y ellos tenían que apurarse para llegar a clase a tiempo. Después del examen, todos _____ cansados pero alegres porque el examen fue muy fácil.

REPASO

I. Relate what you did *yesterday* by changing the verbs in the following passage from the present tense to the preterite.

A las siete *me despierto*. *Me levanto* en seguida y *voy* al baño. *Me lavo, me peino* y *me visto*. *Salgo* de mi cuarto a las siete y media. *Voy* al comedor para comer el desayuno. Después de comer *salgo* para la universidad. *Llego* a mi primera clase a las ocho. Cuando *termina* la clase *voy* a la biblioteca para estudiar. *Estudio* por tres horas. *Vuelvo* a casa a las doce. *Preparo* el almuerzo y lo *como*. Por la tarde *duermo*. A las cinco mi amigo *pasa* por mi casa y *vamos* a la cafetería donde *trabajamos*. *Regreso* a casa muy tarde. *Me acuesto* inmediatamente porque en ese momento *estoy* muy cansado.

II. Express the following in Spanish.

    1. It was ten o'clock and I was tired.
    2. I was bored because the novel was boring.
    3. The soup was hot but it tasted delicious.
    4. It was October 12 and they were not here.
    5. The lecture was at nine o'clock. They were still in the library.
    6. My friend is from Spain, but he is in Mexico now.
    7. Her house was near the park; it was a brick house (made of brick).
    8. He is very ugly, but today he looks handsome.
    9. Her father was a doctor, but she wanted to be an engineer.
  10. They are (normally) unpleasant, but today they seem nice.

III. **Intercambios.** Ask a classmate the following questions. Use only verbs in a past tense in your response. (Be prepared to share this information with the rest of the class.)

    1. ¿Qué hiciste ayer?
    2. ¿Estudiaste la lección para hoy?
    3. ¿Te almorzaste en la cafetería o en casa?
    4. ¿Asististe a una conferencia anoche?
    5. ¿A qué hora te acostaste?
    6. ¿Ibas a la playa siempre en el verano?
    7. ¿Tenías que trabajar todos los días el año pasado?
    8. ¿Estudiabas en casa todas las noches el semestre pasado?
    9. ¿Qué hacías durante las vacaciones con tu familia?
  10. ¿Asistías a un concierto cada sábado el año pasado?

IV. **Composición.** Write a composition dealing with your activities, yesterday, making use of as much of the following vocabulary as possible.

despertarse, levantarse, bañarse, peinarse, vestirse, bajar, comer, salir, llegar, entrar, encontrar, hablar, estudiar, volver, cenar, mirar, acostarse, dormirse

A conversar

A. Diálogo

Los indios americanos creían que las estrellas influían en la vida humana. Después de leer el siguiente diálogo, discutan Vds. las modernas ideas de Berta y de Sara.

BERTA Dame el periódico. Voy a leer mi horóscopo.

SARA Oye, Berta, ¡no me vas a decir que crees en la astrología!

BERTA Claro, chica. Verás. Hoy dice: «Día de mucho éxito en los asuntos del corazón».

SARA Creo que me estás tomando el pelo.

BERTA No, en serio, muchas veces los pronósticos son ciertos. Hoy, por ejemplo, tengo cita con Raúl.

SARA ¿Y qué? ¡Sales con él dos o tres veces por semana!

BERTA Sí, pero el pronóstico dice que hoy voy a tener éxito. Quiere decir que hoy me va a pedir la mano.

SARA ¡Eso te faltaba! ¿Quieres casarte con él?

BERTA No. Es un tonto. Nunca va a terminar su carrera.

SARA Entonces, ¿cómo puedes llamar a eso un éxito?

BERTA Bueno, el éxito será (*will be*) en decirle que no.

B. Discusión oral: la astrología, la magia y la ciencia

Indique Vd. sus reacciones personales a las siguientes posibilidades.

1. Las estrellas . . .
   a. controlan la vida humana.
   b. influyen en la vida de todos.
   c. no influyen nada en nuestras vidas.
2. En cuanto a los horóscopos . . .
   a. los leo todos los días porque quiero saber lo que va a pasar.
   b. no los leo nunca.
   c. los leo de vez en cuando, pero no creo en ellos.
3. Los rasgos típicos de los que nacen bajo mi signo del zodíaco . . .
   a. son cualidades con las que me identifico.
   b. pueden atribuirse a cualquier persona.
   c. son cualidades que no describen ni mi personalidad ni mi carácter.
4. La magia . . .
   a. sólo existe como explicación de lo que todavía no se entiende científicamente.
   b. sí existe en todas partes del mundo.
   c. es una parte esencial de toda religión.

5. Los fenómenos psíquicos . . .
   a. indican que hay fuerzas inexplicables.
   b. se basan en el hecho de que existen ondas *(waves)* cerebrales que son capaces de moverse por el aire.
   c. no existen y son producto de la imaginación.
6. La ciencia . . .
   a. puede resolver todos los problemas de la humanidad.
   b. es menos importante que la filosofía o la religión.
   c. es la base de nuestra cultura.
7. El verdadero científico . . .
   a. sólo cree en lo tangible y lo material.
   b. también puede ser una persona religiosa.
   c. es la persona más indicada para gobernar el mundo moderno.

C. Conversación: El Horóscopo

Acuario: 20 enero–18 febrero
Rasgos: independiente, idealista, inestable
Piscis: 19 febrero–20 marzo
Rasgos: imaginativo, optimista, compasivo
Aries: 21 marzo–19 abril
Rasgos: impulsivo, egoísta, enérgico
Tauro: 20 abril–20 mayo
Rasgos: obstinado, estoico, paciente
Géminis: 21 mayo–20 junio
Rasgos: inteligente, impaciente, inconstante
Cáncer: 21 junio–22 julio
Rasgos: caprichoso, malhumorado, emocional
Leo: 23 julio–22 agosto
Rasgos: poderoso, dominante, orgulloso
Virgo: 23 agosto–22 septiembre
Rasgos: tímido, solitario, trabajador
Libra: 23 septiembre–22 octubre
Rasgos: justiciero, artístico, indeciso
Escorpión: 23 octubre–21 noviembre
Rasgos: vengativo, honesto, leal
Sagitario: 22 noviembre–21 diciembre
Rasgos: sincero, impolítico, gracioso
Capricornio: 22 diciembre–19 enero
Rasgos: ambicioso, serio, callado

1. Busque Vd. su signo y explique si se identifica o no con las características que se asocian con su signo.
2. Busque Vd. su horóscopo en un periódico e indique su reacción a lo que dice.

UNIDAD

La religión en el mundo hispánico

3

(*El Día de los Difuntos; después del almuerzo*)

CARLOS   Con permiso.

MAMÁ   ¿Qué estás haciendo, hijo?

CARLOS   Voy a dormir la siesta. Me estoy muriendo de sueño.

MAMÁ   Pero, ¿no te gustaría ir a misa conmigo?

CARLOS   No, mamá, no quiero ir.

MAMÁ   ¿Qué te pasa, Carlos? Ya nunca vas a misa. Cuando vivíamos en el campo[1] te gustaba ir todos los domingos y los días de obligación. Son esos amigos tuyos de la universidad que te están influyendo, ¿verdad?

CARLOS   Bueno, mamá, es cierto que mis amigos no van. Pero no me hace falta ir a misa. Muchas veces me parece sólo hipocresía.

MAMÁ   Ah, hijo. Ésas serán ideas del diablo. Por eso escucharás las palabras del cura. Renovarán tu fe en Dios.

CARLOS   El cura es sólo un hombre, como yo. En los pueblos, sí, los curas son los únicos hombres educados y por eso tienen mucha influencia. Pero aquí en la ciudad es diferente.

MAMÁ   Carlos, me desilusionas mucho. Sabes muy bien que son hombres dedicados a Dios.

CARLOS   No lo creo.[2] Se meten en la política igual que los políticos; viven como ricos con el dinero de los fieles. Deben ayudar a los pobres económicamente. Son hipócritas.

MAMÁ   ¡Carlos! ¡Cállate![3] Ofenderás a Dios con tus blasfemias. (*Comienza a llorar.*)

CARLOS   ¡Mamá, no es para tanto! Los valores están cambiando; yo estoy cambiando. La religión ya no domina tanto en la vida como antes.

MAMÁ   Pero para mí la religión siempre será muy importante. Es un gran consuelo.

CARLOS   Sí, ya sé. Deja de llorar. Voy contigo a misa. No dormiría de todos modos. ¡Qué dolor de cabeza tengo!

NOTAS CULTURALES

1. **Cuando vivíamos en el campo:** En los pueblos pequeños la iglesia sirve de centro social además de centro religioso.

2. **No lo creo:** Carlos expresa una actitud común hoy día: que el clero es sólo un grupo de hombres imperfectos con defectos como todos los hombres.

3. **¡Cállate!:** La mamá demuestra la actitud tradicional que identifica al cura con Dios. Si uno respeta a Dios, tiene que respetar a los curas como sus representantes.

VOCABULARIO

blasfemia   blasphemy
campo   country
clero   clergy
consuelo   consolation
cura *m*   priest
dejar de   to stop
demostrar   to show
desilusionar   to disappoint, disillusion
diablo   devil
ejercer   to exercise

fe *f*   faith
fiel: los fieles   the faithful, the devout
hipocresía   hypocrisy
influir   to influence
meterse en   to meddle in
misa   mass
renovar (ue)   to renew
servir de   to serve as
único, -a   only
valor *m*   value

¡cállate!   be quiet!
con permiso   excuse me
de todos modos   anyway
Día de los Difuntos   All Soul's Day (Nov. 2)
día de obligación   holy day of obligation
es cierto   it's true
igual que   the same as, just like
no es para tanto   it's not so serious

Preguntas

1. ¿Qué quiere hacer Carlos después del almuerzo?   2. ¿Adónde va a ir su mamá?   3. ¿Va Carlos a misa todos los días de obligación?   4. ¿Quiénes influyen en Carlos, según la mamá? 5. ¿Dice Carlos que es necesario ir a misa?   6. ¿Por qué tienen los curas mucha influencia en los pueblos pequeños?   7. Según la mamá, ¿por qué son buenos los curas?   8. ¿Cómo viven los curas, según Carlos? ¿Qué deben hacer?   9. ¿Es importante la religión en la vida moderna?   10. ¿Por qué decide Carlos ir a misa con su mamá?

Preguntas Personales

1. ¿Va Vd. a la iglesia todos los domingos? ¿Por qué?   2. ¿Cree Vd. que una persona puede ser religiosa sin asistir a una iglesia? ¿Por qué?   3. ¿Cree Vd. que una persona debe discutir sus creencias religiosas con otras personas o es algo demasiado personal? 4. ¿Cree Vd. que la religión tiene un papel muy importante en la vida diaria de cada persona? ¿Por qué?   5. ¿Es posible para una persona ser buena sin asistir a una iglesia? ¿Por qué?   6. ¿Qué piensa Vd. de una persona que dice que no cree en Dios? 7. ¿Piensa Vd. que los jóvenes de hoy son menos religiosos que sus padres? ¿Por qué?   8. En su opinión, ¿sería el mundo mejor o peor sin la religión? ¿Por qué?

Gramática

The Progressive Tenses

A. The present participle

1. The present participle is formed by adding **-ando** to the stem of all **-ar** verbs and **-iendo** to the stem of most **-er** and **-ir** verbs.

hablar:	***hablando***	*speaking*
aprender:	***aprendiendo***	*learning*
vivir:	***viviendo***	*living*

2. Some common verbs have irregular present participles. In **-er** and **-ir** verbs the **i** of **-iendo** is changed to **y** when the verb stem ends in a vowel.

caer:	**cayendo**	leer:	**leyendo**
creer:	**creyendo**	oír:	**oyendo**
ir:	**yendo**	traer:	**trayendo**

3. Stem-changing verbs have the same stem changes in the present participle as in the preterite.

decir:	**diciendo**	sentir:	**sintiendo**
poder:	**pudiendo**	pedir:	**pidiendo**
venir:	**viniendo**	dormir:	**durmiendo**

B. The present progressive

1. The present progressive is formed with the present tense of **estar** and the present participle of a verb.

estoy estás	bailando
está estamos	bebiendo
estáis están	escribiendo

2. The present progressive is used to stress that an action is in progress, or is taking place at a particular moment in time.

> Están demostrando mucho interés en las religiones del mundo.
> *They are showing a lot of interest in the religions of the world.*
>
> Estoy leyendo mis apuntes.
> *I am reading my notes.*

3. Certain verbs of motion are sometimes used as substitutes for **estar** in order to give the progressive a more subtle meaning.

> **ir:**   Va aprendiendo a tocar la guitarra.
> *He is (slowly, gradually) learning to play the guitar.*
> **seguir, continuar:**   Siguen hablando.
> *They keep on (go on) talking.*
> **venir:**   Viene contando los mismos chistes desde hace muchos años.
> *He has been telling the same jokes for many years.*
> **andar:**   Anda pidiendo limosna para los pobres.
> *He is going around asking for alms for the poor.*

C. The past progressive

1. The past progressive is formed with the imperfect of **estar** plus a present participle.*

estaba
estabas
estaba
estábamos
estabais
estaban
} mirando
vendiendo
saliendo

2. This tense is used to stress that an *unfinished* action was in progress at a specific time in the past.

> Yo estaba mirando un programa de televisión en vez de estudiar.
> *I was watching a television program instead of studying.*
>
> El cura estaba explicando las influencias extranjeras sobre la iglesia cuando lo interrumpieron.
> *The priest was explaining the foreign influences on the church when they interrupted him.*

---

* A second past progressive tense is the preterite progressive, formed with the preterite of **estar** plus a present participle. It is used to stress that a completed action was in progress at a specific time in the past: **Estuve estudiando hasta las seis.** *(I was studying until six.)* This tense is rarely used in colloquial Spanish.

3. As in the present progressive, the verbs of motion **ir, seguir, continuar, venir,** and **andar** may also be used to form the past progressive.

> Seguía escribiendo poemas.
> *She kept on writing poems.*

> Andaba diciendo mentiras.
> *He was going around telling lies.*

D. Position of direct object pronouns with the participle

Direct object pronouns are attached to the present participle. But in the progressive tenses the object pronoun may either precede **estar** or be attached to the participle.

> Leyéndolo,* vio que tenía razón.
> *Reading it, he saw that I was right.*

> Estoy escribiéndola.
> *or*
> La estoy escribiendo.
> *I am writing it.*

EJERCICIOS

A. Change the verbs to the present progressive, using the auxiliary **estar.**

MODELO: Ofendes a Dios con tus blasfemias.
Estás ofendiendo a Dios con tus blasfemias.

1. Pongo mis anteojos en esta mesa.
2. El niño corre por el patio.
3. María hace una pregunta.
4. Ramón y yo compramos un regalo.
5. Los estudiantes analizan las varias religiones.
6. El extranjero mira el mapa de los Estados Unidos.
7. Leemos una novela religiosa.
8. Ella sigue un curso comercial.

---

* Note that when the pronoun is attached to the participle, a written accent is required on the original stressed syllable of the participle.

B. Change the verbs to the past progressive.

MODELO: Vivían como ricos.
Estaban viviendo como ricos.

1. Leía la noticia del accidente.
2. Mirábamos un programa de televisión.
3. El abogado y el cliente hablaban por teléfono.
4. Su amigo dormía durante la misa.
5. ¿Pensabas ir a la iglesia?
6. Aprendían a nadar en la piscina.
7. Rezaba en la iglesia.
8. Trataba de terminar la explicación.

C. Complete the sentences with the correct form of **estar** and the present participle of the verb in parentheses.

MODELO: (dormir) El muchacho _____ _____ .
El muchacho está durmiendo.

1. (hacer) ¿Qué _____ _____ hijo?
2. (morir) Me _____ _____ de sueño.
3. (influir) Tus amigos te _____ _____ .
4. (ayudar) Carlos _____ _____ a los pobres.
5. (meterse) Los curas _____ _____ en la política.
6. (andar) Carlos y yo _____ _____ a misa.
7. (cambiar) Los valores _____ _____ .
8. (dominar) ¿Quién no _____ _____ en la vida como antes?

D. Express the following in Spanish.

1. He keeps on eating.
2. She goes on writing the exercises.
3. The priest was (gradually) answering their questions.
4. Were you trying to find your glasses?
5. We have been repeating the same lesson all week.
6. He was (slowly) learning to write in Spanish.
7. He goes around asking for money.
8. They kept on dancing until midnight.

The *Ir A* + Infinitive Construction

The present indicative of the verb **ir** followed by **a** and the infinitive is often used in Spanish to express an action that will take place in the immediate future.

¿Qué vas a hacer?
What are you going to do?

Voy a vender la pintura.
I am going to sell the painting.

Va a invitar a tu hija.
She is going to invite your daughter.

Vamos a tener mucho éxito.
We are going to be very successful.

EJERCICIOS

A. Substitution drill.

   1. Voy a invitar a los jóvenes. (tú / Elena / nosotros / ellos / Roberto y yo / Vd.)
   2. Vamos a asistir a la misa del gallo. (María y Elena / yo / Tomás / Juan y yo / Vds. / tú)
   3. Vas a escuchar las palabras del cura. (yo / Carlos / nosotros / Carlos y su mamá / los muchachos)
   4. Van a dormir la siesta (tú / mis amigos / yo / Vds. / Berta)

B. Answer the following questions in the affirmative.

   1. ¿Vas a invitar a María?
   2. ¿Van Vds. a vivir en este barrio?
   3. ¿Vas a resolver el problema?
   4. ¿Va el cura a dar una misa?

C. Answer the following questions in the negative.

   1. ¿Van Vds. a renovar su fe?
   2. ¿Vamos a tener dificultades con la tarea?
   3. ¿Vas a ayudarme con los arreglos del viaje?
   4. ¿Va la religión a desilusionarnos?

The Future and Conditional Tenses

A. The future of regular verbs

1. In Spanish the future tense of regular verbs is formed by adding the following endings to the complete infinitive: **-é, -ás, -á, -emos, -éis, -án.** Note that the same endings are used for all three conjugations.

hablar		**comer**		**vivir**	
hablaré	hablaremos	comeré	comeremos	viviré	viviremos
hablarás	hablaréis	comerás	comeréis	vivirás	viviréis
hablará	hablarán	comerá	comerán	vivirá	vivirán

2. The future tense in Spanish corresponds to the English auxiliaries *will** and *shall* and it is generally used as in English.

> ¿A qué hora volverán?
> *At what time will they return?*

> Iremos a la misa a las ocho.
> *We shall go to mass at eight.*

3. The future may also be used as a softened substitute for the direct command.

> Vd. volverá mañana a la misma hora.
> *You will return tomorrow at the same time.*

4. The following are often substituted for the future:

    a. **Ir a** (in the present) plus the infinitive, referring to the near future:

    > Van a preparar un flan.
    > *They are going to prepare custard.*

    > Voy a hacer compras mañana.
    > *I am going to shop tomorrow.*

    b. The present tense:

    > El partido de tenis empieza a las dos.
    > *The tennis game will begin at two.*

---

* When the English word *will* is used to make a request, the verb **querer** + an infinitive is used in Spanish rather than the future tense: **¿Quiere Vd. abrir la ventana?** (*Will you open the window?*)

B. The conditional of regular verbs

1. The conditional tense endings are also added to the complete infinitive: **-ía, -ías, -ía, -íamos, -íais, -ían.** The endings are the same for all three conjugations.

hablar		**comer**	
hablaría	hablaríamos	comería	comeríamos
hablarías	hablaríais	comerías	comeríais
hablaría	hablarían	comería	comerían

vivir	
viviría	viviríamos
vivirías	viviríais
viviría	vivirían

2. The conditional tense corresponds to the English auxiliaries *would* and *should** and is generally used as in English.

> Me dijo que lo repararían.
> *He told me that they would fix it.*

> Me gustaría estudiar contigo.
> *I should like to study with you.*

3. Specifically, the conditional is used:

a. To express a future action from the standpoint of the past.

> Carlos le dijo que no dormiría la siesta.
> *Carlos told her that he would not take his nap.*

b. To express polite or softened statements, requests, and criticisms.

> Tendría mucho gusto en llevar a tu hermana.
> *I would be very happy to take your sister.*

> ¿Podría Vd. ayudarme?
> *Could you (would you be able to) help me?*

> ¿No sería mejor ayudarle?
> *Wouldn't it be better to help him out?*

---

* The conditional tense is not used in Spanish to express *would* meaning "used to" or *would not* meaning "refused to." These concepts are expressed by the imperfect and the preterite, respectively. **Íbamos a la playa todos los días.** (*We would [used to] go to the beach every day.*) **No quiso hacerlo.** (*He would not [refused to] do it.*) *Should* meaning "ought to" is expressed by the verb **deber. Debes ir al dentista.** (*You should [ought to] go to the dentist.*)

c.   To state the result of a conditional *if-* clause.*

Si viviéramos en el campo irías a la iglesia todos los domingos.
If we lived in the country, you would go to church every Sunday.

C. Irregular future and conditional verbs

Some commonly used verbs are irregular in the future and conditional tenses. However, the irregularity is only in the stem; the endings are regular.

Verb	Future	Conditional
caber	cabré	cabría
decir	diré	diría
haber	habré	habría
hacer	haré	haría
poder	podré	podría
poner	pondré	pondría
querer	querré	querría
saber	sabré	sabría
salir	saldré	saldría
tener	tendré	tendría
valer	valdré	valdría
venir	vendré	vendría

EJERCICIOS

A. Follow the model.

MODELO: Escuchar las palabras del cura.
¿Vas a escuchar las palabras del cura ahora?
No, escucharé las palabras del cura mañana.

1. devolver el dinero
2. almorzar con los amigos
3. asistir a la iglesia
4. salir a pasear
5. tener una cita
6. tomar el tren
7. hacer los ejercicios
8. ponerte la chaqueta nueva

---

* In such situations the *if*-clause is in the imperfect subjunctive. *If*-clauses will be treated in more detail in Unit 10.

B. Answer the following questions in the affirmative.

1. ¿Irán Vds. a escuchar la música en la iglesia?
2. ¿Pondrás los libros en la mesa?
3. ¿Leerá Vd. la sección religiosa en el periódico?
4. ¿Hablarán Vds. con el decano de la facultad?
5. ¿Ayudarás a los pobres económicamente?
6. ¿Responderá Vd. a todas las preguntas?

C. Express the following in Spanish.

1. You will do nothing tomorrow.
2. I will not be able to pay a lot to fix it.
3. When are we going to go to mass?
4. We will come to visit you in the city.
5. I will spend the morning enjoying myself.
6. Will she buy gifts for her aunts and uncles?
7. Will you offend God with your blasphemies?
8. They will write a composition about the foreign influences on the Church of Spain.

D. Change the sentences to conform to the verbs in parentheses.

MODELO: Sé que vendrá en el coche. (sabía)
Sabía que vendría en el coche.

1. Me dicen que Ramón la llevará a la iglesia. (dijeron)
2. Creo que el cura contestará nuestras preguntas. (creía)
3. Estoy seguro de que la clase terminará a tiempo. (estaba)
4. Es cierto que ellos aprenderán mucho. (era)
5. Nos dice que habrá bastante tiempo para visitar los museos. (dijo)
6. Creo que nos dirá la verdad. (creía)
7. Les dice que discutirán la religión más tarde. (dijo)
8. Es cierto que nos reuniremos después de la clase. (era)
9. Es evidente que ellos no querrán estudiar la lección. (era)
10. Me dice que él no lo hará. (dijo)

E. Answer the following questions in the negative.

1. ¿Le gustaría ir a misa en una iglesia del campo?
2. ¿Me dijo Vd. que volverían temprano?
3. ¿Podrías hacerlo?
4. ¿Me dijiste que tus amigos te estarían influyendo?
5. ¿Nos enviaría Vd. un recuerdo de su viaje?

F. Express the following in Spanish.

1. Ramón said that he would do it, and he will do it.
2. Elena said that she would come, and she will come.
3. They said that they would bring it, and they will bring it.
4. He said that he would tell the truth, and he will tell it.
5. She said that there would be enough time, and there will be enough.

The Future and Conditional to Express Probability

A. The future of probability

The future tense is used to express probability at the present time. This construction is used when the speaker is conjecturing about a situation or occurrence in the present.

> ¿Qué hora será?
> *I wonder what time it is. (What time do you suppose it is?)*
>
> Serán las once.
> *It is probably eleven o'clock. (It must be eleven o'clock.)*
>
> ¿Dónde estará Rosa?
> *I wonder where Rosa is. (Where do you suppose Rosa is?)*

B. The conditional of probability

The conditional tense is used to express probability in the past.

> ¿Qué hora sería?
> *I wonder what time it was. (What time do you suppose it was?)*
>
> Serían las once.
> *It was probably eleven o'clock. (It must have been eleven o'clock.)*
>
> Estaría en la iglesia.
> *She was probably in the church. (I suppose that she was in the church.)*

NOTE:

Probability in the present or the past may also be expressed by using the word *probablemente* with either the present or the imperfect tense.

Probablemente están en la biblioteca.   Estarán en la biblioteca.
Probablemente sabía la respuesta.   Sabría la respuesta.

EJERCICIOS

A. Substitution drill

1. ¿Qué dirá el cura? (esos amigos tuyos / nosotros / tú / Carlos y su mamá)
2. Él se meterá en la política. (yo / los estudiantes / Vd. / tú)
3. Ella tendría influencia. (los curas / yo / él y yo / los profesores)
4. Creo que ellos podrían ayudarnos. (su hijo / todos / tú / Mónica)

B. Rewrite the following sentences, using the future of probability.

1. Probablemente ellos viven cerca de aquí.
2. Probablemente él tiene bastante dinero.
3. Probablemente los alumnos estudian mucho.
4. Probablemente mi primo está en casa.
5. Probablemente Teresa lo sabe.

C. Answer each of the following questions, using the conditional of probability. Change the noun objects to pronouns in your response.

MODELO: ¿Quién contestó las preguntas? (Ramón)
Ramón las contestaría.

1. ¿Quiénes hicieron las preguntas? (las alumnas)
2. ¿Quién escribió este cuento? (Cervantes)
3. ¿Quiénes mandaron estos regalos? (mis padres)
4. ¿Quién compró los boletos? (mi primo)
5. ¿Quién puso el papel aquí? (el profesor)

D. Express the following in Spanish:

1. She is probably Spanish.
2. They are probably tired.
3. Who do you suppose wrote the list of verbs?
4. I wonder where they are.
5. I wonder who has the tickets for the concert.
6. Do you suppose he knew the truth?
7. There is probably a test today.
8. I wonder when they arrived.

Indirect Object Pronouns

A. Forms

1. The indirect object pronouns are identical in form to the direct object pronouns, except for the third person singular and plural forms **le** and **les.**

me	*(to) me*	**nos**	*(to) us*
te	*(to) you*	**os***	*(to) you*
le	*(to) him, her, you, it*	**les**	*(to) them, you*

2. Since **le** and **les** have several possible meanings, a prepositional phrase (**a él, a ella,** etc.) is sometimes added to clarify the meaning of the object pronoun.

> Le dio el dinero a él.
> *He gave the money to him.*

> Les mandé un cheque a ellos.
> *I sent a check to them.*

B. Usage

1. to indicate to whom or for whom something is done or made.

> Les dio el cuaderno.
> *He gave the notebook to them.*

> Mi marido me preparó la comida.
> *My husband prepared the meal for me.*

2. To express possession in cases where Spanish does not use the possessive adjectives (**mi, tu, su,** etc.). This usually is the case with parts of the body and articles of personal clothing.

> Me lava las manos.
> *She is washing my hands.*

> Nos limpia los zapatos.
> *He is cleaning our shoes.*

3. With impersonal expressions.

> Le es muy difícil hacerlo.
> *It is very difficult for him to do it.*

> Me es necesario hablar con él.
> *It is necessary for me to talk with him.*

---

* In Latin America the **os** form has been replaced by **les.**

4. With verbs such as **gustar, encantar, faltar,** and **parecer.**
    This use will be discussed later in this unit.

5. The indirect object pronoun is usually included in the sentence
    even when the indirect object noun is also expressed.

    > Le entregué el dinero a Juan.
    > *I handed the money to Juan.*
    >
    > Les leí el cuento a los niños.
    > *I read the story to the children.*
    >
    > Mario le da el regalo a Delia.
    > *Mario is giving the present to Delia.*

C. Position

Indirect object pronouns follow the same rules for position as direct
object pronouns. They generally precede a conjugated form of the
verb or are attached to infinitives and present participles.

> Van a leerte el cuento.
> *They are going to read you the story.*
>
> Te van a leer el cuento.
> *They are going to read the story to you.*
>
> Están escribiéndole una carta.
> *They are writing a letter to him.*
>
> Le están escribiendo una carta.
> *They are writing him a letter.*

Double Object Pronouns

1. When both a direct and an indirect object pronoun appear in
    the same sentence, the indirect object pronoun always pre-
    cedes the direct.

    > Me lo contó.
    > *He told it to me.*

2. Double object pronouns follow the same rules for placement
    as single object pronouns.

    > Va a contármelo.* Me lo va a contar.
    > *He's going to tell it to me.*

---

* Note that when two pronouns are attached to the infinitive, a written accent is required on the
original stressed syllable of the infinitive.

Está contándomelo. Me lo está contando.
He's telling it to me.

3. When both pronouns are in the third person, the indirect object pronoun **le** or **les** changes to **se.**

Le doy el libro.   Se lo doy.
I give him the book.   *I give it to him.*

Les mandé los cheques.   Se los mandé.
I sent them the checks.   *I sent them to them.*

4. Since **se** may have several possible meanings, a prepositional phrase (**a ella, a Ud., a ellos**) is often added for clarification.

Se lo dio a él.
He gave it to him.

5. A reflexive pronoun precedes any other object pronoun.

Se lo puso.
He put it on.

6. The prepositional phrases **a mí, a ti, a nosotros,** and so forth may also be used with the corresponding indirect and direct object pronouns for emphasis.

A mí me dice la verdad.
She tells me the truth.

EJERCICIOS

A. Restate the following sentences with different indirect object pronouns, as in the model.

MODELO: Me dirá la verdad. (a él)
         Le dirá la verdad.

1. Me habló por teléfono. (a ti / a Vds. / a nosotros / a ellos / a él / a Vd. / a mí)
2. Está contándome el cuento. (a ellos / a ti / a mí / a Vd. / a nosotros / a ella)
3. Va a entregarle los discos. (a ellos / a ella / a Vds. / a nosotros / a ti / a mí)

B. Change the words in italics to object pronouns and restate each sentence, placing the pronouns in their proper position. Some sentences may be stated in two ways.

1. Voy a traer *la maleta a Juana.*
2. Dijo *la verdad a sus padres.*
3. Su padre prestó *dinero a Luz María.*
4. Tengo que comprar *los boletos para Juan y Felipe.*
5. Nos mandan *las cartas.*
6. Está explicando *el motivo a mi amigo.*
7. Carlos invitó *a los extranjeros.*
8. La compañía vendió *la maquinaria al cliente.*
9. Elena quiere dar *su cámara a los turistas.*
10. Van a mostrarme *sus apuntes.*

C. Answer the following questions in the affirmative.

1. ¿Se lo pidieron Vds.?
2. ¿Nos lo mandó Vd.?
3. ¿Se lo dimos a Vds.?
4. ¿Se lo dio a Vd.?
5. ¿Me lo dijo Vd.?

Gustar and Similar Verbs

A. *Gustar*

1. The Spanish verb **gustar** means *to please or to be pleasing.* The equivalent in English is *to like.* In the Spanish construction with **gustar** the English subject (I, you, Juan, etc.) becomes the indirect object of the sentence, or the one *to whom* something is pleasing. The English direct object, or the thing that is liked, becomes the subject. The verb **gustar** agrees with the Spanish subject; consequently, it almost always is in the third person singular or plural.

Nos gusta bailar.
We like to dance. (Dancing pleases us.)

Me gustó la música.
I liked the music. (The music was pleasing to me.)

¿Te gustan las conferencias del profesor Ramos?
Do you like Professor Ramos' lectures?

Les gustaban sus cuentos.
They liked his stories.

2. When the indirect object is a noun, it must be preceded by the preposition **a.** (The indirect object pronoun is still used.)

A mis hermanos les gustan los discos.
My brothers like the records.

A Pablo le gusta el queso.
Pablo likes cheese.

B. Other verbs like *gustar*

A number of other common verbs function like **gustar: faltar** *(to be lacking, to need)*, **hacer falta** *(to be necessary)*, **quedar** *(to remain, have left)*, **parecer** *(to appear, seem)*, **encantar** *(to delight, charm)*, **pasar** *(to happen, occur)*, **importar** *(to be important, to matter)*.

Me faltan tres billetes.
I am lacking (need) three tickets.

Nos hace falta estudiar más.
It is necessary for us to study more.

Les quedan tres pesos.
They have three pesos left.

No me importa el dinero.
Money doesn't matter to me.

Me encantan las rosas.
Roses delight me.

¿Qué te parece? ¿Vamos a la iglesia o no?
What do you think? Shall we go to church or not?

¿Qué te pasa?
What's happening to you? What's wrong?

EJERCICIOS

A. Make the following substitutions, according to the model.

MODELO: Me gustan los regalos. (a él/ el poema)
Le gusta el poema.

1. Me gusta la canción. (a ti / las películas; a Vd. / la misa; a nosotros / los deportes; a Raúl / la comida; a las chicas / las fiestas; a Rosa / la raqueta; a ellos / viajar)
2. Le hacía falta a Vd. el dinero. (a ti / los zapatos; a ella / una cámara; a nosotros / un coche; a Rosa y a Pedro / los billetes; a mí / un lápiz)

3. ¿Qué les parecieron a Vds. las clases? (a ti / el concierto; a Elena / el clima; a tus hermanos / los deportes; a ella / las lecturas; a Vd. / la discoteca; a ellos / los bailes mexicanos)

B. Ask the corresponding questions for the following statements.

1. Sí, me gustaron las ruinas indias.
2. Sí, nos gustan esos jardines.
3. No, a él no le gusta el movimiento feminista.
4. No, a mí no me gusta la política.
5. Sí, nos gusta dormir la siesta.

C. Express the following in Spanish.

1. I like to ski and to swim.
2. The songs delighted me.
3. They only had twenty minutes left.
4. It is necessary for him to sleep more.
5. I would like to attend the dance, but I need five dollars.
6. Her lectures always seem interesting to me.
7. What happened to you last night?
8. Spanish music delights us.

REPASO

I. Change the verb from the present to the future tense.

1. Yo *digo* la verdad.
2. *Hay* muchos estudiantes aquí.
3. Lo *haces* después de la misa.
4. Juan no *puede* salir.
5. Nosotros *ponemos* las cartas en la mesa.
6. Ellos *saben* las respuestas.
7. *Tengo* que ir a la iglesia.
8. No *vale* la pena.
9. El *va* con su madre a la misa.
10. Los dos *hablan* de la importancia de la religión.

II. Tell what you *would* do in each of the following situations.

Modelo: Al terminar la lección *me acostaría.*

1. Al recibir un cheque de mil pesos _____ .
2. Al entrar en la clase de español _____ .
3. Al ir a un buen restaurante _____ .
4. Al asistir a la iglesia _____ .
5. Al visitar México _____ .
6. Al ver a mi mejor amigo (a) _____ .
7. Al ir de vacaciones _____ .
8. Al despertarme temprano _____ .

III. Express the following in Spanish.

1. I am studying Spanish this year.
2. I am studying Spanish right now.
3. I used to see her every night.
4. I saw her last night.
5. I was reading in the library when he saw me.
6. I am going to study in Colombia next year.
7. I will talk with the priest tomorrow.
8. I said that I would talk with him.
9. I said that I would like to go also.
10. I will tell them that she is probably at the church.
11. I told them that he was probably at home.

IV. **Intercambios.** Ask a classmate the following questions. (Be prepared to share this information with the rest of the class.)

1. ¿Crees que es necesario asistir a una iglesia para ser religioso? ¿Por qué?

2. ¿Piensas que una persona debe casarse con otra persona que tiene una creencia religiosa diferente? ¿Por qué?
3. En tu opinión, ¿cuál es la religión más verdadera y aceptable de todas las religiones? ¿Por qué?
4. ¿Crees que es importante para los padres bautizar a sus hijos en una iglesia? ¿Por qué?
5. ¿Piensas que debe haber solamente una religión mundial? ¿Por qué?
6. ¿Crees que las religiones causan o resuelven la mayor parte de los problemas del mundo? ¿Por qué?

V. **Composición.** Write a composition discussing what you think religious practices will be like and/or what you think they should be like in the year 2000.

A conversar

A. Diálogo

Aprenda Vd. de memoria el siguiente diálogo con un compañero de clase. Después, preséntenlo Vds. oralmente a la clase.

(Alicia habla con su hermano Roberto.)

ALICIA — Roberto, ¡Eduardo quiere casarse conmigo!
ROBERTO — ¡Enhorabuena! Ya era hora.
ALICIA — Va a hablar con papá mañana.
ROBERTO — Papá no pondrá obstáculos. ¿Cuándo será la boda?
ALICIA — La semana que viene. ¿Qué te parece?
ROBERTO — Es muy pronto. Tomarán tiempo los arreglos con la iglesia . . .
ALICIA — Pero nos casaremos ante un juez.
ROBERTO — Ah, no, Alicia. Papá no lo permitirá.
ALICIA — Pero Eduardo es ateo. No quiere casarse por la iglesia.
ROBERTO — No importa. Si no es por la iglesia, papá no dará su permiso.
ALICIA — ¿Qué voy a hacer? No podré convencer a Eduardo.

B. Temas de conversación

1. El casarse con alguien de otra religión ya no presenta problemas en nuestra sociedad.
2. Todas las religiones son esencialmente iguales. Por eso, deberían unirse en una gran religión universal.
3. Las mujeres y los hombres deberían participar igualmente en la dirección de los ritos religiosos.

4. Ninguna religión debe recibir el apoyo del estado.
5. Las creencias religiosas siempre se basan en ideas supersticiosas.

C. Discusión: Modos de vivir

A continuación se presentan cinco modos de vivir. Primero, indique Vd. su reacción ante cada uno de ellos:

a. Me gusta mucho.
b. Me gusta un poco.
c. No me importa.
d. No me gusta mucho.
e. No me gusta nada.

Después, compare Vd. sus reacciones con las de sus compañeros de clase. Si quiere, describa Vd. brevemente su propio modo de vivir, su filosofía personal, en esta época de su vida.

1. En este modo de vivir, el individuo participa activamente en la vida social de su pueblo, pero no busca cambiar la sociedad, sino comprender y preservar los valores establecidos. Evita todo lo excesivo y busca la moderación y el dominio sobre sí mismo. La vida, según esta filosofía, debe ser activa, pero también debe tener claridad, control y orden.

2. El individuo que participa en este modo de vivir se retira de la sociedad. Vive apartado donde puede pasar mucho tiempo solo y controlar su propia vida. Hay mucho énfasis en la meditación y la reflexión, el conocerse a sí mismo. Para este individuo el centro de la vida está dentro de uno mismo y no debe depender de otras personas ni de otras cosas.

3. Según esta filosofía, la vida depende de los sentidos y se debe gozar de ella sensualmente. Uno debe ser receptivo a las cosas y a las personas y deleitarse con ellas. La vida es alegría y no la escuela donde uno aprende la disciplina moral. Lo más importante es abandonarse al placer y dejar que los acontecimientos y las personas influyan en uno.

4. Ya que el mundo exterior es transitorio y frío, el individuo sólo puede encontrar significado y verdadera gratificación en la vida pensativa y en la religión. Como han dicho los sabios, esta vida no es más que una preparación para la otra, la vida eterna. Todo lo físico debe ser subordinado a lo espiritual. El individuo debe juzgar sus acciones y sus deseos a la luz de la eternidad.

5. Sólo al usar la energía de nuestros cuerpos podemos gozar completamente de la vida. Las manos necesitan fabricar y crear algo. Los músculos necesitan actuar: saltar, correr, esquiar, etcétera. La vida consiste en conquistar y triunfar sobre todos los obstáculos.

UNIDAD

Aspectos
de la familia
en el mundo
hispánico

(Carlos y Concha piensan ir al cine pero encuentran varios obstáculos.)

CARLOS   Oye, Concha, no hemos visto esa nueva película italiana.[1] ¿Quieres ir esta noche?

CONCHA   ¡Oh! Me encantaría. Pero, sabes, mi mamá querrá ir también.[2]

CARLOS   ¿No hay manera de irnos solos? Tu mamá es una buena persona pero sólo deseaba verte a ti.

CONCHA   Carlitos,[3] tú sabes cómo es ella. Siempre se enoja cuando no la invitamos. Tendrás que llevarla a ella también.

CARLOS   ¿Y si le decimos que la película es de esas surrealistas? La última vez la invitamos pero no quiso ir.

CONCHA   ¡Ah, sí! Dice que siempre se duerme. Pero, ¿cómo vamos a convencerla?

CARLOS   Déjamelo a mí. Yo lo arreglaré.

(Van a la cocina donde encuentran a la mamá de Concha y al tío Paco, de 86 años.)

MAMÁ   ¡Hola, Carlos! ¿Cómo estás? Te quedas a comer con nosotros, ¿verdad?[4]

CARLOS   Gracias, acabo de comer en casa. Venimos a ver si Vd. querría acompañarnos al cine. Vamos a ver la película italiana que dan en el Cine Mayo. No la ha visto, ¿verdad?

MAMÁ   ¿Qué película es? Para decir la verdad me gustan más las norteamericanas con Paul Newman o Robert Redford. Prueba esta carne asada, Carlos.[5]

CARLOS   Bueno, un bocado nada más. Esas películas corrientes no valen la pena. Ésta sí que debe ser buena; fue premiada en Europa.

CONCHA   ¿Vienes o no, mamá?

MAMÁ   Bueno, pensándolo bien, es mejor que vayan Vds. solos. La última vez me dormí apenas comenzada la película.

TÍO   A mí sí que me gustan las películas de ese . . . ¿cómo se llama? . . . Fettucini, creo. Yo iré con Vds.[6] Hace dos semanas que no voy al cine.

CARLOS   Bueno . . . no lo había pensado.

CONCHA   *(en voz baja a Carlos)* No te preocupes, tonto. Está tan ciego el tío Paco que tiene que sentarse muy cerca de la pantalla. Le diremos que no aguantamos eso y nos sentaremos atrás, solitos.

CARLOS   Ah, Conchita, ¡eres tan lista!

NOTAS CULTURALES

1. **película italiana:** Las películas extranjeras son muy populares en Europa y en Hispanoamérica. En España, en la Argentina y en México hay una industria cinematográfica notable, pero no alcanza a satisfacer al público hispánico.

2. **mi mamá querrá ir también:** Aunque desaparece la costumbre lentamente, todavía es bastante común que los jóvenes salgan acompañados por un adulto. Algunos invitan a sus padres sólo por cortesía, pero las madres más conservadoras a veces requieren una escolta para sus hijas.

3. **Carlitos:** Es común usar diminutivos para indicar cariño o familiaridad.

4. **Te quedas a comer con nosotros, ¿verdad?:** Es casi automática esta invitación a comer, pero es falsa. La respuesta, también automática, es negativa pero cortés. «Gracias» sin más significa «No, gracias».

5. **Prueba esta carne asada, Carlos:** La segunda invitación, siempre hecha con más fuerza, es verdadera y debe ser aceptada, con ganas o no.

6. **yo iré con Vds.:** El tío, por pertenecer a la familia, tiene el derecho de invitarse. Sería una descortesía negárselo.

VOCABULARIO

aguantar	to put up with	**gana(s)**	desire
arreglar	to arrange	**listo,-a**	clever
asado,-a	roasted	**pantalla**	movie screen
atrás	in back	**película**	movie, film
bocado	bite, taste	**pertenecer**	to belong
cariño	affection	**probar (ue)**	to taste, sample
ciego,-a	blind	**significar**	to mean
conservador,-a	conservative	**solitos**	dimin. of **solo** *alone*
corriente	common, ordinary	**surrealista**	surrealistic
escolta	escort		

acabar de	to have just
hace dos semanas que	it has been two weeks since
ser premiado	to be awarded a prize
valer la pena	to be worthwhile

Preguntas

1. ¿Qué piensan hacer Carlos y Concha? 2. ¿Por qué no podrán ir solos? 3. ¿Qué hace la mamá cuando no la invitan? 4. ¿Qué clase de película quieren ver? 5. ¿Qué hace la mamá cuando ve a una película surrealista? 6. ¿Quiénes están en la cocina? 7. ¿Qué le pregunta la mamá a Carlos? 8. ¿Cuáles son las películas que le gustan a la mamá? 9. ¿Qué come Carlos? 10. ¿Quién decide ir al cine con los jóvenes? 11. ¿Qué van a hacer los jóvenes para estar solos en el cine?

Preguntas Personales

1. ¿Le gustan a Vd. las películas extranjeras? 2. ¿Qué películas ha visto Vd. recientemente? 3. ¿Le gustan las películas surrealistas? 4. ¿Ve Vd. películas con sus padres? 5. ¿Con quién prefiere Vd. ir al cine? ¿Por qué? 6. ¿Cuáles son sus películas favoritas? 7. ¿Quién es su actor favorito? ¿Su actriz favorita? 8. En su opinión, ¿vale la pena ver las películas modernas? ¿Por qué?

Gramática

The Perfect Tenses

A. The past participle

1. The past participle of regular verbs is formed by dropping the infinitive ending and adding **-ado** to **-ar** verbs, and **-ido** to **-er** and **-ir** verbs.

   hablar: **hablado**
   comer: **comido**
   vivir: **vivido**

2. Some common verbs have irregular past participles.

abrir	**abierto**	hacer:	**hecho**
cubrir:	**cubierto**	morir:	**muerto**
decir:	**dicho**	poner:	**puesto**
descubrir:	**descubierto**	romper:	**roto**
devolver:	**devuelto**	resolver:	**resuelto**
envolver:	**envuelto**	ver:	**visto**
escribir:	**escrito**	volver:	**vuelto**

3. Some forms carry a written accent. This occurs when the stem ends in a vowel.

caer:	**caído**	oír:	**oído**
creer:	**creído**	reir:	**reído**
leer:	**leído**	traer:	**traído**

4. When the past participle is used as an adjective, it agrees with the noun in number and gender. It is used with **estar** in this case.

> Las tiendas están abiertas hoy.
> La mamá está enojada.
> El tío está sentado cerca de la pantalla.

B. The present perfect tense

1. The present perfect is formed with the present tense of **haber** plus a past participle.

he	
has	hablado
ha	
hemos	comido
habéis	
han	vivido

2. The present perfect is used to report an action or event that has recently taken place and whose effects are continuing up to the present.

> Ellos han encontrado varios obstáculos.
> *They have encountered various obstacles.*
>
> Esta semana he pensado mucho en ver esa película.
> *This week I have thought a lot about seeing that movie.*

3. The parts of the present perfect construction are never separated; the past participles do not agree with the subject in gender or number, and always end in **-o**.

> ¿Lo ha probado María?
> *Has María tasted it?*
>
> Han visto una película italiana.
> *They have seen an Italian movie.*

4. **Acabar de** plus an infinitive is used idiomatically in the present tense to express *to have just + past participle*. The present perfect tense is not used in this construction.

> Ella acaba de preparar la comida.
> *She has just prepared the meal.*

C. The pluperfect tense

1. The past perfect tense, also called the pluperfect, is formed with the imperfect tense of **haber** plus a past participle.*

había	
habías	hablado
había	
habíamos	comido
habíais	
habían	vivido

2. The past perfect is used to indicate an action that preceded another action in the past.

> Cuando llamé, ya habían salido.
> *When I called, they had already left.*
>
> Dijo que ya había ido al cine.
> *He said that he had already gone to the theater.*

3. Negative words and pronouns usually precede the auxiliary verb form of **haber:**

> **No ha probado** un bocado.
> *He hasn't tasted a mouthful.*
>
> Mamá **se había dormido** apenas comenzado la película.
> *Mom fell asleep when the movie had barely started.*

EJERCICIOS

A. Change the following sentences from the present to the present perfect.

1. Su tío me dice algo de Luis.
2. El joven tiene mala suerte.
3. Yo hago un viaje a Madrid.
4. Sus amigos vuelven del Cine Mayo.

---

* The preterite of **haber** plus a past participle forms the preterite perfect, which is a literary tense. It is rarely used in colloquial language.

5. Nuestro equipo gana el campeonato.
6. La película ya empieza.
7. Mis padres oyen decir que esas películas son inmorales.
8. Los chicos encuentran varios obstáculos.

B. Change the following sentences from the preterite to the past perfect.

1. Yo no hice nada.
2. ¿Abrieron las ventanas?
3. Mi tía trabajó en una librería.
4. Pedro fue a casa antes de comer.
5. El chico prometió acompañarnos.
6. Se enojó porque no la invitamos.
7. La invitaron al cine.
8. ¿Dónde perdiste los boletos?

C. Express the following in Spanish.

1. My grandmother has invited them to her house.
2. We had just sat down when her father called us.
3. Their cousin has told them that he is thinking about going to the movie.
4. What had she done during her vacation in the mountains?
5. He has just discovered that you left without him.
6. He has returned the tickets to the theater.
7. They haven't done anything today.
8. She had seen all the foreign films.

D. Complete the sentences with the present perfect form of the verbs in parentheses.

1. (ver) ¿No _____ tú la película surrealista?
2. (venir) Nosotros _____ solitos.
3. (decir) Carlos y María no _____ la verdad.
4. (oír) El tío _____ la conversación.
5. (hacer) Los dos _____ una invitación cortés.

E. Complete the sentences with the past perfect form of the verbs in parentheses.

1. (comer) Él ya _____ cuando lo invitaron.
2. (llevar) Dos semanas antes yo la _____ al teatro.
3. (irse) Los novios _____ cuando vino la mamá.
4. (tener) Ellos _____ una discusión antes de salir.
5. (estar) Teresa _____ ya en ese cine.

The Future and Conditional Perfect

A. Future perfect

1. The future perfect tense is formed with the future tense of the verb **haber** plus a past participle.

habré	hablado
habrás	
habrá	comido
habremos	
habréis	salido
habrán	

2. It expresses a future action that *will have taken place* by some future time.

> Habrán salido a eso de las diez.
> *They will have left by ten.*

> Habrá terminado la lección antes de comer.
> *He will have finished the lesson before eating.*

B. Conditional perfect

1. The conditional perfect is formed with the conditional tense of **haber** plus a past participle.

habría	hablado
habrías	
habría	comido
habríamos	
habríais	salido
habrían	

2. This tense is used to express something that *would have* taken place.

> Yo habría estudiado en vez de ir al cine.
> *I would have studied instead of going to the movies.*

> ¿Qué habrías contestado tú?
> *What would you have answered?*

C. Probability

The future and conditional perfects may be used to express probability.

¿Habrá terminado su trabajo a tiempo?
I wonder if he has finished his work on time.

¿Habría terminado su trabajo a tiempo?
I wonder if he had finished his work on time.

Habrán llegado a las ocho.
They must have arrived at eight.

Habrían llegado a las ocho.
They had probably arrived at eight.

EJERCICIOS

A. Change the following sentences to the future perfect.

1. Su tío ha estado aquí.
2. Los alumnos han escrito una composición.
3. Su madre ya se ha ido.
4. Han visto esa película francesa.
5. ¿Has puesto los lápices en la mesa?

B. Change the following sentences to the conditional perfect.

1. Había muerto varios días antes.
2. María había devuelto el libro.
3. ¿Qué habían dicho ellos?
4. ¿Cuándo habías salido?
5. Había estudiado mucho para el examen.

C. Express the following in Spanish.

1. I would not have done it.
2. She says that they will have left already.
3. Where do you suppose they have gone?
4. They must have seen her in the store.
5. I wonder if they had read the notes from the lecture.

Possessive Adjectives and Pronouns

A. Possessive adjectives—unstressed (short) forms

1. The unstressed (short) forms of the possessive adjectives are:

   mi, mis *my*   **nuestro (-a, -os, -as)** *our*
   tu, tus *your*   **vuestro (-a, -os, -as)*** *your*
   su, sus *his, her, its, your*   **su, sus**   *their, your*

2. Possessive adjectives agree with the thing possessed and not with the possessor. The unstressed forms always precede the noun.

   > Él es cortés con mi mamá.
   > *He is polite with my mother.*
   >
   > Sus tíos tienen hambre.
   > *His aunt and uncle are hungry.*
   >
   > Tu composición es muy interesante.
   > *Your composition is very interesting.*

3. All possessive adjectives agree in number with the nouns they modify, but **nuestro** and **vuestro** show gender as well as number.

   > Nuestros padres van mañana.
   > *Our parents are going tomorrow.*
   >
   > Nuestra casa está lejos del centro.
   > *Our house is far from downtown.*

4. The possessive **su** has several possible meanings: *his, her, its, your,* or *their.* For clarity, **su** plus a noun is sometimes replaced by the **definite article + noun + prepositional phrase.**

   > ¿Dónde vive su madre?
   >   or
   > ¿Dónde vive la madre de él? (de ella, de Vd., de ellos, etc.)
   > *Where does his (her, your, their, etc.) mother live?*

---

* The **vuestro (-a, -os, -as)** form has been replaced by **su, sus** in Latin America.

5. Definite articles are generally used in place of possessives with parts of the body, articles of clothing, and personal effects. If the subject does the action to someone else, the indirect object pronoun indicates the possessor (**Les limpié los zapatos** = *I cleaned their shoes*); if the subject does the action to himself or herself, the reflexive pronoun is used (**Ella se lava las manos** = *She washes her hands*). However, if the part of the body or article of clothing is the subject of the sentence, or if any confusion exists regarding the possessor, then the possessive adjective is used.

> Tus pies son enormes.
> *Your feet are enormous.*

> Pedro dice que mis brazos son muy fuertes.
> *Pedro says that my arms are very strong.*

B. Possessive adjectives—stressed (long) forms

1. The stressed (long) forms of the possessive adjectives are:

mío (-a, -os, -as)	*(of) mine*
tuyo (-a, -os, -as)	*(of) yours*
suyo (-a, -os, -as)	*(of) his, hers, its, yours*
nuestro (-a, -os, -as)	*(of) ours*
vuestro (-a, -os, -as)*	*(of) yours*
suyo (-a, -os, -as)	*(of) theirs, yours*

2. The stressed forms agree in gender and number with the noun they modify; they always follow the noun.

> unas amigas mías   una tía nuestra
> *some friends of mine*   *an aunt of ours*

3. The stressed possessive adjectives may function as predicate adjectives, or they may be used to mean *of mine, of theirs,* and so forth.

> Unas amigas mías vinieron al club.
> *Some friends of mine came to the club.*

> Ésa es la raqueta suya, ¿verdad?
> *That's your racquet, isn't it?*

---

* **Vuestro (-a, -os, -as)** has been replaced by **suyo (-a, -os, -as)** in Latin America.

4. It is important to note in the previous examples that the stress is on the possessive adjective and not on the noun: **unas amigas mías, una raqueta suya.** In contrast, the short forms of the possessive adjective are not stressed: **mis amigas, su raqueta.**

5. Since **suyo** has several possible meanings, the construction **de + él, ella, Vd.,** etc, may be used instead for clarity.

> Un amigo suyo viene a verme.
>
> *or*
>
> Un amigo de Vd. viene a verme.
> *A friend of yours is coming to see me.*

C. Possessive pronouns

1. The possessive pronouns are formed by adding the definite article to the stressed forms of the possessive adjectives.

POSSESSIVE ADJECTIVES		POSSESSIVE PRONOUNS	
mi coche	*my car*	el mío	*mine*
nuestra finca	*our farm*	la nuestra	*ours*

Carlos tiene la maleta suya y las mías.
Carlos has his suitcase and mine (plural).

2. For clarification, **el suyo (la suya,** etc.) may be replaced by the **de** plus **él (ella, Vd.,** etc.) construction.

> Esta casa es grande.
> La suya es pequeña.
> *or*
> La de él es pequeña.

3. After the verb **ser** the definite article is usually omitted.

> ¿Son tuyos estos boletos?
> *Are these tickets yours?*

NOTE: An article may be used to stress selection: **Es el mío.** *It's mine.*

D. Other uses of the possessive pronouns

1. **Los míos, los tuyos, los suyos,** and **los nuestros** may be used to refer to relatives, intimate friends, subordinates, and so forth. In this case only the masculine plural forms are used.

> Saludos a los tuyos.
> *Regards to your family.*

> Los nuestros ganaron el partido.
> *Our side won the game.*

2. When used with the neuter **lo,** the stressed forms **mío, tuyo,** etc., take on an abstract sense.

> No sabe defender lo suyo.
> *He doesn't know how to defend his interests.*

EJERCICIOS

A. Change the following sentences according to the model.

MODELO: Mi amigo vive cerca de la universidad.
Un amigo mío vive cerca de la universidad.

1. Nuestro tío se duerme en el cine.
2. Tus primos viven en España.
3. Mis camisas están sucias.
4. Su hermana trajo la comida.
5. Ésta es su idea.

B. Answer the following questions in the affirmative, using the stressed forms of the possessive adjectives or possessive pronouns:

1. ¿Son tuyas estas plumas?
2. ¿Es ésta la cámara de Vd.?
3. ¿Son éstas sus recetas?
4. ¿Es suyo ese traje de baño?
5. ¿Es ésta la casa de Vds.?

C. Express the following in Spanish. Use words of clarification when needed.

1. My cousins live in this country; yours (*fam.*) live in Latin America.
2. His family prepares Mexican dishes. Hers doesn't know how to make them.
3. My bicycle is here. Where is yours?

4. We have our notes. Where are theirs?
5. When do your (*formal*) guests arrive? Mine arrived last night.

D. Change the possessive pronouns to the plural and make all the necessary changes.

MODELO: La nuestra es interesante.
Las nuestras son interesantes.

1. El mío no está en la biblioteca.
2. La tuya era grande, ¿verdad?
3. El suyo está en nuestra casa.
4. La mía es diferente.
5. El tuyo era de color gris.

INTERROGATIVE WORDS

A. Forms of the interrogatives

¿quién? ¿quiénes?*	*who?*
¿de quién? ¿de quiénes?	*whose, of whom, about whom?*
¿a quién? ¿a quiénes?	*to whom?*
¿con quién? ¿con quiénes?	*with whom?*
¿qué?	*what?*
¿cuál? ¿cuáles?	*what, which?*
¿cuánto? ¿cuánta?	*how much?*
¿cuántos? ¿cuántas?	*how many?*
¿cómo?	*how? what?*
¿para qué?	*why (for what purpose)?*
¿por qué?	*why (for what reason)?*
¿dónde?	*where?*
¿a dónde?	*to where?*
¿cuándo?	*when?*

¿Quién ha ganado el premio Nobel?
Who has won the Nobel prize?

¿Qué busca Vd.?
What are you looking for?

¿Cuál es su religión?
What is his religion?

¿Cuánto dinero necesitas?
How much money do you need?

¿Por qué va a casarse?
Why are you going to get married?

¿Adónde van ellos en el invierno?
Where are they going in the winter?

---

* Note that all the interrogatives have written accents.

B. ¿Qué? versus ¿cuál?

1. **¿Qué?** (what) asks for a definition or explanation. It is also used to ask for a choice when the things involved are general or abstract nouns.

> ¿Qué es una pantalla?
> *What is a pantalla?*
>
> ¿Qué te pasó?
> *What happened to you?*
>
> ¿Qué prefieres, la poesía o la prosa?
> *What do you prefer—poetry or prose?*

2. When an identification is being asked for in a question that contains a noun, either expressed or implied, **¿qué?** is always used. Note that **¿qué?** always comes before the noun in this construction.

> ¿Qué (cosa) le dio ella de comer a Carlos?
> *What (thing) did she give Carlos to eat?*
>
> ¿Qué libro es éste?
> *What book is this (one)?*

3. **¿Cuál?**, (Which? Which one?) on the other hand, is used when asking for a selection or choice among specific objects or when asking questions involving a number of possibilities as answers.

> Hay muchos coches en la calle ¿Cuál es el tuyo?
> *There are many cars on the street. Which one is yours?*
>
> Tengo muchas clases difíciles. ¿Sabes cuál es la más difícil?
> *I have many difficult classes. Do you know which one is the most difficult?*
>
> ¿Cuál prefieres, el tuyo o el mío?
> *Which one do you prefer—yours or mine?*

4. **¿Cuál?** is a pronoun and cannot be used with a noun.

> ¿Cuál es la fecha de su carta?
> *What is the date of his letter?*

5. Note that **¿cuál?** is always used before a phrase introduced by **de.**

> ¿Cuál de los dos quieres?
> *Which of the two do you want?*

EJERCICIOS

A. Ask the following questions in Spanish.

1. When are we going to leave?
2. Where is the movie theater?
3. Where are they going now?
4. Why did her boss say that?
5. Why have they not prepared the lesson?
6. How many tickets had you bought?
7. How much time do we need in order to arrive on time?
8. Which of those newspapers do you want?
9. What has he done now?
10. To whom have they written a letter?
11. Whose jacket is this?
12. About whom had she spoken?
13. Who is that man near the door?
14. What is the date of our appointment with the doctor?

B. Make questions using interrogative words.

MODELO: Carlos y Berta van a ir al teatro.
¿Quiénes van a ir al teatro?

1. Esa chica es mi amiga.
2. Vamos a salir para Toledo el sábado.
3. Su casa está cerca de la iglesia.
4. El coche es de mi papá.
5. Aurelio llama a Elena.
6. Es una concha.
7. Quiero las maletas rojas.
8. Tengo mucho dinero.
9. Van al Cine Mayo para ver la película francesa.
10. Estoy bien, gracias.

Hace and *Hay* with Weather Expressions

A. Expressions with *hace (hacía)*

1. Most expressions that describe the weather are formed with the impersonal (third person singular) forms of **hacer.**

¿Qué tiempo hace?	Hace fresco.
What's the weather like?	*It is cool.*

Hace buen tiempo.	Hace calor.
The weather is good.	*It is hot.*
Hace mal tiempo.	Hace viento.
The weather is bad.	*It is windy.*
Hacía frío.	Hacía sol.
It was cold.	*It was sunny.*

2. The adjective **mucho (**not **muy)** is the equivalent of *very* in these expressions since **frío, calor,** and **sol** are nouns.

> Hace mucho frío (calor, sol).
> *It is very cold (hot, sunny).*

3. The verb **tener** is used with animate beings to describe a physical state.

> Yo tengo frío (calor).
> *I am cold (hot).*

B. Expressions with *hay (había)*

Hay, the impersonal form of **haber,** is used to describe weather conditions that are visible. **(Había** is used for the past.)

> Hay polvo (nubes, niebla).
> *It is dusty (cloudy, foggy).*
> Había sol* (luna).
> *The sun (moon) was shining.*

EJERCICIO

Express the following in Spanish:

1. The weather is good today. The sun is shining; it is not windy and it is not cold.
2. The weather was bad yesterday. It was windy; it was also cloudy and very hot.
3. It is a beautiful night. It is cool and the moon is shining.
4. Yesterday we were cold.

---

* Hace sol = it is sunny.
 Hay sol = the sun is shining.

Hacer and *Llevar* with Expressions of Time

A. *Hacer* + time expressions

1. The impersonal form of **hacer (hace)** is used with expressions of time to indicate the duration of an action that began in the past and continues into the present. The normal word order in these constructions is **hace** + expression of time + **que** + verb in the present tense.

> Hace dos años que vivo aquí.
> *I have lived here for two years.*
>
> ¿Cuánto tiempo hace que estás aquí?
> *How long have you been here?*

2. When an action had been going on for a period of time in the past and was still continuing when something interrupted the action, is expressed by **hacía** + a time expression + **que** + verb in the imperfect tense.

> Hacía dos años que él vivía aquí cuando murió.
> *He had been living here for two years when he died.*

3. An alternate construction for expressing the same idea is: verb phrase + **desde hace** or **hacía** + expression of time.*

> Vivo aquí desde hace dos años.
> *I have lived here for two years.*
>
> Vivía aquí desde hacía dos años cuando murió.
> *He had been living here for two years when he died.*

4. **Hace** plus an expression of time may also be used to express the idea of *ago*. The normal word order in this construction is **hace** + expression of time + **que** + verb in the preterite tense.

> Hace más de dos mil años que los romanos lo construyeron.
> *The Romans built it more than two thousand years ago.*

The word order in this construction may also be reversed.

> Los romanos lo construyeron hace más de dos mil años.

---

* The present tense of any verbs + **desde** + a specific day, month, or year is used to express *since* in sentences like **Trabajo día y noche desde junio.** *(I have been working day and night since June.)* **Vivo aquí desde el lunes.** *(I have been living here since Monday.)*

B. *Llevar* + time expressions

1. **Llevar** may also be used to express the duration of actions which continue into the present. The verbal form which follows **llevar** in this construction is the present participle.

> Llevo seis horas aquí.
> *I have been here for six hours.*
>
> Llevan cinco años buscando oro.
> *They have been looking for gold for five years.*

2. In negative sentences with **llevar,** the construction **sin** + infinitive is used.

> Llevan ocho años sin encontrar nada.
> *They haven't found anything for eight years.*

EJERCICIOS

A. Change the following phrases into five sentences, according to the model.

MODELO: (nosotros) viajar—dos meses
    a. Hace dos meses que viajamos.
    b. Viajamos desde hace dos meses.
    c. Llevamos dos meses viajando.
    d. Hacía dos meses que viajábamos.
    e. Viajábamos desde hacía dos meses.

1. (yo) tocar el piano—cuatro años
2. (ellos) trabajar aquí—diez meses
3. (Carlos) hablar con Rosa—media hora
4. (tú) escuchar el programa—más de una hora

B. Express the following in Spanish.

1. Carlos arrived at her house twenty minutes ago.
2. They left for the movies two hours ago.
3. Uncle John entered the kitchen five minutes ago.
4. How long have you been in the United States?
5. They have gone two days without eating.
6. It is more than twelve years since we met.

REPASO

I. Change each of the following sentences to the present perfect, past perfect, future perfect, and conditional perfect.

1. Yo lo hago.
2. Elena lo ve.
3. Nosotros la escribimos.
4. Raúl la abre.
5. Los alumnos los devuelven.

II. Possessive adjectives and pronouns: Change the words given in parentheses to Spanish.

1. (My) _____ libros están aquí. ¿Dónde están (yours) _____ ?
2. (His) _____ casa está cerca. ¿Dónde está (theirs) _____ ?
3. (Their) _____ coche está enfrente del teatro. ¿Dónde está (ours) _____ ?
4. (Her) _____ novio vive cerca del cine. ¿Dónde vive (yours-fam. sing.) _____ ?
5. (Our) _____ mamá está en la cocina. ¿Dónde está (his) _____ ?

III. Change the following paragraph to the past.

Es sábado. Son las seis de la mañana. Sale el sol y parece que va a hacer fresco. Tengo mucho que hacer, pero como me siento perezoso, me quedo en casa hablando por teléfono con un amigo. Me dice que quiere ir a la playa, y que pasará por mi casa dentro de poco. Sigo charlando con un vecino hasta las nueve cuando viene mi amigo a recogerme. Salimos.

Al llegar a la playa estamos muy contentos. Hay una vista magnífica y el agua está fresca. Veo que un antiguo compañero de clase me saluda. Me dice que está trabajando en una fábrica. Durante media hora habla de la ignorancia, la mala fe y la falsa conciencia de los eruditos universitarios. Le contesto que no todos son así y que no hay que dejar las universidades a los pedantes y los intrigantes.

Para cambiar de tema le pregunto por su novia. Me contesta que están reñidos (on bad terms) a causa de sus ideas respecto al feminismo. Estamos hablando de esto y de otras cosas cuando vemos acercarse un bote a la playa. Por las muchas cañas de pesca, los hombres parecen pescadores. En ese momento, miro el reloj. Ya es muy tarde. Me doy cuenta de que hablamos desde hace casi dos horas. He prometido encontrarme con mi novia a las cinco.

IV. **Intercambios.** Ask a classmate the following questions. (Be prepared to share this information with the rest of the class.)

1. ¿De dónde eres?
2. ¿Dónde vives aquí?
3. ¿A dónde vas generalmente durante el fin de semana?
4. ¿Quién es tu mejor amigo (a)?
5. ¿A quién escribes cada semana?
6. ¿Con quién sales mucho?
7. ¿De qué hablas con tu amigo (a)?
8. ¿Por qué estudias español?
9. ¿Cuál de tus clases es tu favorita?
10. ¿Cuándo termina tu última clase del día?
11. ¿Qué haces después de tu última clase?
12. ¿Cuántas veces por semana vas a estudiar a la biblioteca?

V. **Composición.** Write a composition relating something special that you and your family have done together.

A conversar

A. Diálogo

Discutan Vds. el siguiente diálogo.

FERNANDO Tenemos que hablar, Carmen.

CARMEN ¿Sobre qué, Fernando?

FERNANDO Dentro de un mes nos casamos. Debemos hablar del futuro.

CARMEN Sí, mi amor. Será un futuro maravilloso. Estoy segura.

FERNANDO Hablo en serio. ¿Has pensado cuántos hijos te gustaría tener?

CARMEN Bueno, no había pensado en eso específicamente. Pero siempre he soñado con una familia grande como la mía.

FERNANDO Yo también. ¿Pero no crees que en vista de los problemas mundiales tenemos la obligación de limitarnos?

CARMEN Pero Fernando, los hijos nuestros serán miembros útiles de la sociedad.

FERNANDO Sí, claro, pero sabes que la población crece rápidamente. Creo que cada pareja tiene la responsabilidad de limitar su familia para asegurar el futuro de todos.

CARMEN También tenemos una responsabilidad hacia nosotros mismos. ¡No podemos resolver los problemas del mundo entero!

B. Discusión: Un dilema familiar

A continuación se describe una familia que se ve confrontada con un problema típico. Acaban de informarle al padre que lo van a ascender a director de su compañía; su familia tendrá que mudarse a una ciudad que queda lejos del pueblo donde siempre han vivido. Los miembros de la familia son:

EL PADRE: tipo conservador, ambicioso, que quiere controlar a su familia. A él le gusta la idea de mudarse y de ascender a director. Así ganará más dinero para pagar los estudios de sus hijos; además, podrá comprarse una casa más lujosa y pasar las vacaciones en Europa. Aunque solicita la opinión de los demás, está convencido de que será una oportunidad maravillosa para todos.

LA MADRE: mujer bondadosa que siempre busca reconciliar las diferencias entre la familia. Ella tiende a apoyar a su marido en cuestiones de negocio. Por eso, dice que su marido tiene razón: que habrá más posibilidades para todos y que los problemas de la mudanza se resolverán fácilmente.

LA ABUELA: viuda, vieja, muy vinculada al pueblo donde vive ahora, donde está enterrado su marido. Ella sabe que va a echar de menos su pueblo, ya que todas sus amistades se encuentran allí y ella es muy vieja para cambios de esa clase. Y ¿qué va a hacer ella, lejos de la iglesia a la que ha asistido desde su juventud?

EL PRIMO: joven desocupado que no ha podido encontrar trabajo. Le parece que su pueblo no ofrece muchas oportunidades para un joven. Ya conoce la otra ciudad y está seguro de que allá podrá encontrar un mejor empleo.

EL HIJO: muchacho de unos quince años que siempre ha creído que el pueblo de ellos es muy atrasado. Le gusta conocer gente nueva y visitar lugares desconocidos. Le parece que ya ha explorado todo en su pueblo y está aburrido con su vida actual. También cree que si su padre gana más dinero es posible que le regale un auto el año que viene.

LA HIJA: muchacha de unos diecisiete años que está enamorada de un joven, vecino de ellos. Para ella, su Pepe es el hombre más sofisticado que hay, puesto que tiene veintidós años y sabe tanto del mundo. Además, su íntima amiga Julia piensa casarse en el verano y ella no quiere perder la boda.

Con algunos compañeros de clase, prepare Vd. una escena breve pero emocionante en la cual participan todos los miembros de la familia. Cada uno debe escoger el papel de un miembro de la familia. Deben discutir las ventajas y desventajas de mudarse.

C. Temas de conversación

1. ¿Se ha mudado mucho su familia? ¿Cuántas veces? ¿Le gusta la idea de mudarse a menudo o prefiere quedarse en un lugar?
2. ¿Sabe Vd. si la familia norteamericana se muda más que la hispanoamericana? ¿Por qué?

3. En cuestiones económicas, ¿debe funcionar la familia como una pequeña democracia o debe mandar el padre? ¿Por qué?

4. ¿Es común que el abuelo o la abuela viva con sus hijos en nuestra sociedad? En su opinión, ¿deben vivir juntas varias generaciones? ¿Por qué?

5. ¿Qué importancia deben tener las opiniones de los niños en una familia? ¿Y las de los jóvenes? ¿Cree Vd. que en su familia se toman en serio sus opiniones?

5

El hombre y la mujer en la sociedad hispánica

(Carlos, Concha y tío Paco llegan al cine, compran los boletos y entran.)

TÍO PACO	¿Qué hora es? Ojalá que lleguemos a tiempo para ver el dibujo animado del «Pájaro Loco.»[1]
CARLOS	No se preocupe, tío. ¿Quieren que les traiga algo? Voy a comprar una Coca-cola.
CONCHA	Un chocolate, por favor.
TÍO PACO	Gracias, para mí nada.
CARLOS	*(Después de volver.)* Bueno, pues, entremos.
TÍO PACO	Sentémonos muy cerca. No veo nada.
CONCHA	Tío, Carlos y yo no queremos estar tan cerca de la pantalla. Nos vamos a sentar atrás. Lo veremos a Vd. después.
TÍO PACO	Bueno, bueno, váyanse. *(Se sienta en la segunda fila.)*
CARLOS	¿Nos sentamos en aquellas butacas allí, las que están en medio?
CONCHA	Donde sea, pero date prisa. Estamos perdiendo las primeras escenas.
CARLOS	Bueno, sígueme. Permiso, con permiso señora, muy amable, con permiso, muchas gracias. ¡Uf! ¡Perdone! ¿Ves bien?
CONCHA	Sí, muy bien. Cállate.

(Voces de la pantalla)

MUJER	¡Qué contenta me siento en tus brazos, mi amor!
HOMBRE	Sí, yo también, pero se está haciendo tarde. Tu marido se estará preguntando dónde estás. Tenemos que separarnos una vez más.
MUJER	Apenas son las diez de la noche. Sabes que él nunca deja a tu esposa antes de las doce.
HOMBRE	Sí, pero tal vez llegue Jorge antes de la hora convenida. Debemos evitar escenas desagradables.

(Voces del auditorio.)

CARLOS	¿Qué demonios pasa? ¿Quién es Jorge?
CONCHA	No sé. Perdimos eso al principio.

(Pasan dos horas. Termina la función.)

CONCHA	¡Qué película fenomenal!
CARLOS	Sí, me gustó. Pero, ¿dónde está tío Paco? Busquémoslo.

CONCHA   Ahí está. Tío, ¿le gustó la película?

TÍO PACO   Pues, la verdad, sobrina, tenían esos dos tantos esposos y amantes que me dio un sueño terrible y me eché una siestecita. ¿Cómo terminó?

CARLOS   Pues . . . este . . . bueno, tío, es demasiado complicado. Vámonos.

TÍO PACO   Francamente, me gustan más las telenovelas como «Simplemente María».[2] ¡Ésa sí que vale la pena!

NOTAS CULTURALES

1. **el dibujo animado del Pájaro Loco:** La gran mayoría de los dibujos animados, o «caricaturas», son de origen norteamericano. Entre los más populares están «El Pájaro Loco» *(Woody Woodpecker)*, «El Pato Donald» *(Donald Duck)* y «El Correcaminos y el Coyote» *(Roadrunner).*

2. **«Simplemente María»:** La telenovela es un tipo de programa muy popular en el mundo hispánico. A diferencia de las «soap operas» en los Estados Unidos, las telenovelas son episodios cortos que terminan en un año, o más. Generalmente estos programas se transmiten sólo una vez por semana, pero duran una o dos horas. «Simplemente María» ha sido una de las más populares del mundo hispánico.

VOCABULARIO

amante *m or f* lover
butaca theater seat
convenido,-a agreed-upon
evitar to avoid
fenomenal great, terrific

fila row
función show
perder to miss
preguntarse to wonder
telenovela television serial

a diferencia de unlike
a tiempo on time, in time
darse prisa to hurry
dibujo animado cartoon
donde sea wherever
echarse una siestecita to take a little nap
ojalá (que) I hope that
¿qué demonios pasa? what the devil is going on?
tal vez perhaps

Preguntas

1. ¿Adónde van Carlos, Concha y el tío Paco? 2. ¿Qué compran antes de entrar? 3. ¿Qué es el «Pájaro Loco»? 4. ¿Qué compra Carlos? 5. ¿Dónde se sienta el tío Paco? 6. ¿Por qué no saben quién es Jorge? 7. Según Concha, ¿cómo fue la película? 8. ¿A Carlos le gustó la película? 9. ¿Qué hizo tío Paco durante la película? 10. ¿Al tío Paco, qué le gusta más que las películas?

Preguntas Personales

1. ¿Va Vd. a menudo al cine? ¿Cuántas veces por mes? 2. ¿Dónde se sienta Vd. en el cine? 3. ¿Le gustan a Vd. las películas italianas? 4. ¿Toma Vd. refrescos en el cine? 5. ¿Le gustan más a Vd. las películas o prefiere las telenovelas? 6. ¿Cómo se llama su película favorita? 7. ¿Qué programa de televisión le gusta más a Vd.? 8. ¿Le gustaría a Vd. ser actor (actriz) de televisión? ¿del cine?

Gramática

The Subjunctive Mood

In general, the indicative mood is used to relate or describe something that is definite, certain, or factual; it is also used to ask questions. In contrast, the subjunctive mood is used after certain verbs or expressions that indicate desire, doubt, emotion, necessity, or uncertainty. In this unit we will present the formation of the present subjunctive and the use of the subjunctive after the expressions **tal vez, acaso, quizás,** and **ojalá.**

Forms of the Present Subjunctive

A. The present subjunctive of regular verbs

The present subjunctive of most verbs is formed by dropping the **-o** of the first person singular of the present indicative and adding the endings **-e, -es, -e, -emos, -éis, -en** to **-ar** verbs and **-a, -as, -a, -amos, -áis, -an** to **-er** and **-ir** verbs.

hablar		**comer**		**vivir**	
hable	hablemos	coma	comamos	viva	vivamos
hables	habléis	comas	comáis	vivas	viváis
hable	hablen	coma	coman	viva	vivan

B. Irregular verbs

1. Most verbs which are irregular in the present indicative form their subjunctive regularly. Three examples are:

venir		**traer**		**hacer**	
venga	vengamos	traiga	traigamos	haga	hagamos
vengas	vengáis	traigas	traigáis	hagas	hagáis
venga	vengan	traiga	traigan	haga	hagan

2. The following six common verbs, which do not end in **-o** in the present indicative, are irregular in the present subjunctive.

dar		**estar**		**haber**	
dé	demos	esté	estemos	haya	hayamos
des	deis	estés	estéis	hayas	hayáis
dé	den	esté	estén	haya	hayan

ir		**saber**		**ser**	
vaya	vayamos	sepa	sepamos	sea	seamos
vayas	vayáis	sepas	sepáis	seas	seáis
vaya	vayan	sepa	sepan	sea	sean

C. Stem-changing verbs

1. The **-ar** and **-er** verbs that change **e** to **ie** or **o** to **ue** in the present indicative make the same stem changes in the present subjunctive. (Notice that again there are no stem changes in the first and second persons plural.)

entender		**encontrar**	
entienda	entendamos	encuentre	encontremos
entiendas	entendáis	encuentres	encontréis
entienda	entiendan	encuentre	encuentren

2. The **-ir** verbs that change **e** to **ie** or **o** to **ue** in the present indicative make the same stem changes in the present subjunctive; in addition, they change **e** to **i** or **o** to **u** in the first and second persons plural.

sentir		**dormir**	
sienta	sintamos	duerma	durmamos
sientas	sintáis	duermas	durmáis
sienta	sientan	duerma	duerman

3. The **-ir** verbs that change **e** to **i** in the present indicative make the same stem change in the present subjunctive; in addition they change **e** to **i** in the first and second persons plural.

servir

sirva	sirvamos
sirvas	sirváis
sirva	sirvan

D. Orthographic-changing verbs

Verbs ending in **-car, -gar, -zar,** and **-guar** have spelling changes throughout the present subjunctive in order to preserve the pronunciation of the stem.

buscar:	**c** to **qu**	**llegar:**	**g** to **gu**
busque	busquemos	llegue	lleguemos
busques	busquéis	llegues	lleguéis
busque	busquen	llegue	lleguen

abrazar:	**z** to **c**	**averiguar:**	**gu** to **gü**
abrace	abracemos	averigüe	averigüemos
abraces	abracéis	averigües	averigüéis
abrace	abracen	averigüe	averigüen

Some Uses of the Subjunctive

A. The subjunctive after *tal vez, acaso,* and *quizás*

1. The subjunctive is used after the expressions **tal vez, acaso,** and **quizás** (all meaning *perhaps, maybe*) when the idea expressed or described is indefinite or doubtful.

Tal vez llegue a ser jefe de la compañia, pero lo dudo.
Perhaps he will become head of the company, but I doubt it.

Quizás Juan conozca a Gloria, pero no es probable.
Perhaps Juan knows Gloria, but it's not likely.

Acaso Manuel sepa la respuesta, pero no lo creo.
Maybe Manuel knows the answer, but I don't think so.

2. However, when the idea expressed is definite or very probable, the indicative is used.

> Tal vez salen temprano hoy como siempre.
> *Perhaps they're leaving early today as always.*
>
> Teresa está en el banco. Acaso está cobrando un cheque.
> *Teresa is in the bank. Maybe she's cashing a check.*
>
> Quizás podemos hacerlo; parece fácil.
> *Maybe we can do it; it looks easy.*

B. The subjunctive after *ojalá (que)*

The subjunctive is always used after **ojalá** (derived from the Arabic *May Allah grant that*). The **que** is optional after **ojalá.**

> Ojalá (que) hagan eso.
> *I hope (that) they do that.*
>
> Ojalá (que) él no vaya con nosotros.
> *I hope (that) he doesn't go with us.*
>
> Ojalá (que) no lleguemos tarde.
> *I hope (that) we don't arrive late.*

EJERCICIOS

A. Restate each sentence, beginning with **tal vez** and using the subjunctive, as in the model.

MODELO: Hablan con el jefe.
Tal vez hablen con el jefe.

1. Comen ahora.
2. Llegamos a tiempo.
3. Busca trabajo.
4. Están en casa.
5. Vemos mejor la pantalla.
6. Aprende a conducir.
7. Viven cerca de aquí.
8. Llega Jorge antes de la hora convenida.
9. Sirven la cena.
10. Nos deja en paz.

B. Restate each sentence, beginning with **ojalá que.**

MODELO: El avión sale a tiempo.
Ojalá que el avión salga a tiempo.

1. Se echa una siestecita.
2. Ella no se va.
3. Nosotros encontramos el dinero.
4. Vds. no vuelven tarde.
5. La película empieza pronto.
6. No sabes quien es Jorge.
7. Podemos ir.
8. Tengo tiempo para hacerlo.
9. Se divierten mucho.
10. Tú no pierdes el tren.

C. Respond to each question, beginning your answer with **ojalá que.**

MODELO: ¿Van con nosotros?
          Ojalá que vayan con nosotros.

1. ¿Hace buen tiempo hoy?
2. ¿Viene Ramón a la fiesta?
3. ¿Ganamos el partido?
4. ¿Nos dice la verdad?
5. ¿Son felices?

D. Answer the following questions in the negative. Use **ojalá que** with each response.

MODELO: ¿Los parientes llegan mañana?
          Ojalá que los parientes no lleguen mañana.

1. ¿Tenemos un examen hoy?
2. ¿Está el profesor aquí?
3. ¿Carlos necesita más dinero para comprar los billetes?
4. ¿La madre de Concha va al cine con ellos?
5. ¿Ella se sienta cerca de ellos?
6. ¿El tío de Concha viene al cine esta noche?
7. ¿Da una película surrealista el cine Colorado?
8. ¿Se encuentran los jóvenes después de la película para tomar una cerveza?

E. Express in Spanish.

1. I hope that they find it.
2. Perhaps they know her, but I doubt it.
3. Maybe you are right, but I don't believe it.
4. I hope they like the food.
5. Perhaps they want to eat something.

Commands

There are several different command forms in Spanish:

The formal direct commands **(Vd.** and **Vds.)**
The familiar direct commands **(Tú** and **vosotros*)**
The *let's* commands **(nosotros)**
The indirect commands

All of these commands use present subjunctive verb forms except for the affirmative **tú** and **vosotros** commands.†

A. Formal commands

1. The **Vd.** and **Vds.** commands are the same as the third person forms of the present subjunctive.

Mire (Vd.).	No mire (Vd.).
Look.	*Don't look.*
Salgan (Vds.).	No salgan (Vds.).
Leave.	*Don't leave.*

   NOTE: The word **Vd.** is sometimes included for courtesy, but it is generally omitted.

2. Object pronouns (reflexive, indirect and direct) follow and are attached to affirmative direct commands, but they precede negative direct commands. Notice that the affirmative command adds an accent to maintain the original stressed syllable.

Váyase (Vd.)	No se vaya (Vd.)
Váyanse (Vds.).	No se vayan (Vds.).
Go away.	*Don't go away.*

B. Familiar commands—affirmative

1. The affirmative **tú** command for regular verbs is the same as the third person singular of the present indicative. The subject pronoun is generally not used. Note again that object pronouns are attached to affirmative commands.

---

* The **vosotros** commands are not generally used in Latin America. They have been replaced by the **Vds.** commands.

† For the use of the complete infinitive to express commands, see Unidad 11.

Habla, por favor.	Sígueme.
Speak, please.	*Follow me.*
Vuelve a casa temprano.	Cállate.
Return home early.	*Be quiet.*

2. The following affirmative **tú** commands are irregular:

decir:	**di**	poner:	**pon**	tener:	**ten**
hacer:	**haz**	salir:	**sal**	venir:	**ven**
ir:	**ve**	ser:	**sé**		

3. The affirmative **vosotros** command is formed by dropping the **-r** from the infinitive and adding **-d.**

Escuchad.	Decidnos.
Listen.	*Tell us.*

4. For the **vosotros** command of reflexive verbs, the final **-d** is dropped before adding the pronoun **os.** One exception to this is **idos** (from **irse)**. If the verb is an **-ir** verb, an accent is required on the final **i.**

Levantaos.	Divertíos.
Get up.	*Have a good time.*

C. Familiar commands—negative

1. The negative familiar commands for both **tú** and **vosotros** are the same as the second person forms of the present subjunctive. Object pronouns precede negative commands.

No llegues (tú) tarde.	No lo esperéis.
Don't arrive late.	*Don't wait for him.*

D. The "let's" commands

1. The **nosotros** or *let's* command is the same as the first person plural of the present subjunctive. Note the position of the object pronouns in the second example below.

Comamos.	No comamos.
Let's eat.	*Let's not eat.*
Cerrémosla.	No la cerremos.
Let's close it.	*Let's not close it.*

2. When either the reflexive pronoun **nos** or the pronoun **se** is attached to an affirmative *let's* command, the final **-s** of the verb is dropped. A written accent is added to maintain the original stress of the verb.

Sentémonos.
Let's sit down.

No nos sentemos.
Let's not sit down.

Pidámoselo.
Let's ask him (her) for it.

No se lo pidamos.
Let's not ask him (her) for it.

3. The verb **ir** is irregular in the affirmative **nosotros** command.

Vamos.
Let's go.

BUT: No vayamos.
Let's not go.

Vámonos.
Let's leave.

BUT: No nos vayamos.
Let's not leave.

4. An alternate way of expressing the affirmative *let's* command is to use **ir a** plus the infinitive. This form is not used for negative commands. **A ver** (without **vamos**) is generally used to express *let's see.*

Vamos a hablar con ellos.
Let's talk with them.

BUT: No hablemos con ellos.
Let's not talk with them.

E. Indirect commands

Indirect commands are the same as the third person (singular or plural) of the present subjunctive. They are always introduced by **que.**

Que le vaya bien.
May all go well with you.

Los niños quieren salir. Pues, que salgan ellos.
The children want to go out. Well, let them go out.

Note that object pronouns always precede both negative and affirmative indirect commands, and the subject, if expressed, generally follows the verb.

EJERCICIOS

A. Change the statements to formal commands, following the model.

MODELO: La señorita entra.
Señorita, entre, por favor.

El señor no dice nada.
Señor, no diga nada, por favor.

1. El tío espera un momento.
2. La señora no habla ahora.
3. Los jóvenes van al cine.
4. El señor se sienta cerca de la pantalla.
5. La señora no come allí.

B. Change the statements to familiar commands, following the model.

MODELO: Aurelio dice algo.
Aurelio, di algo.

1. Laura va conmigo a la fiesta.
2. Roberto no sale temprano.
3. María hace un pastel.
4. Felipe no es tonto.
5. Elena no entra en la sala.

C. Restate, following the model.

MODELO: Vamos a abrirlo.
Abrámoslo.

1. Vamos a sentarnos.
2. Vamos a hacerlo.
3. Vamos a levantarnos.
4. Vamos a comprarlos.
5. Vamos a pedirlo.
6. Vamos a beberla.
7. Vamos a comer.
8. Vamos a regresar.

D. Give the following indirect commands in Spanish.

MODELO: Let her go.
Que vaya ella.

1. Let him leave.
2. Let them dance.
3. Let them sit down.
4. Let her enter.
5. Let Pablo wait.

E. Answer the questions in the affirmative, first with the formal form of the command and then with the familiar form.

MODELO: ¿Voy ahora?
Sí, vaya (Vd.) ahora. Sí, ve ahora.

1. ¿Salgo ahora?
2. ¿Como ahora?
3. ¿Me acuesto ahora?
4. ¿Empiezo ahora?
5. ¿Pago ahora?

F. Answer the questions first in the affirmative, then in the negative, using the familiar form of the command. Change all direct object nouns to pronouns.

MODELO: ¿Hago el trabajo?
Sí, hazlo. No, no lo hagas.

1. ¿Pongo las maletas aquí?
2. ¿Digo la verdad?
3. ¿Traigo los boletos?
4. ¿Explico la película?
5. ¿Busco la novela aquí?

Relative Pronouns

A. Uses of *que*

1. The most commonly used relative pronoun is **que** (*that, which, who*). It can refer to persons or to things, and is never omitted in Spanish.

   Manuel es el muchacho que trabaja en esa tienda.
   Manuel is the boy who works in that store.

   La película que vieron anoche es francesa.
   The movie (that) they saw last night is French.

   Cuernavaca es una ciudad que está cerca de la capital.
   Cuernavaca is a city (that is) near the capital.

2. After most prepositions of one syllable such as **a, con, de,** and **en,** the relative pronoun **que** is only used to refer to things.

Las películas de que hablan son de España.
The movies they are talking about are from Spain.

El dinero con que compró el coche era de su madre.
The money he bought the car with was his mother's.

B. Uses of *quien(-es)*

1. **Quien(-es)** *(who, whom)* refers only to people. It is most commonly used after prepositions of one syllable **(a, con, de)** or to introduce a clause that is set off by commas.

    La señora con quien están hablando es traductora.
    The woman they are talking to is a translator.

    Aquel hombre, quien vino a mi casa ayer, es el presidente.
    That man, who came to my house yesterday, is the president.

2. **Quien(es)** is also used to mean *he who, those who, the ones who,* and so forth.

    Quien estudia, aprende.
    He who studies, learns.

    Quienes comen mucho, engordan.
    Those who eat a lot get fat.

3. **Que** is preferred to **quien** as a direct object. It does not require the personal **a.**

    El hombre que (a quien) vi es su tío.
    The man whom I saw is his uncle.

C. Uses of *el cual* and *el que*

El que (la que, los que, las que) and **el cual (la cual, los cuales, las cuales)** are used instead of **que** or **quien** in the following situations:

1. For clarification when there is more than one possible antecedent.

    La amiga de Carlos, la cual (la que) vive en Nueva York, va a México.
    Charles' friend, who lives in New York, is going to Mexico.

    El tío de María, el cual es muy viejo, va al cine con ella.
    María's uncle, who is very old, is going to the movies with her.

2. After the prepositions **por** and **sin** and after prepositions of two or more syllables.

> Se me olvidó la llave, sin la cual (la que) no pude entrar.
> *I forgot the key, without which I couldn't get in.*
>
> Vieron a sus amigas, detrás de las cuales (las que) había dos butacas juntas.
> *They saw their friends, behind whom there were two seats together.*

3. In addition, **el que, (la que, los que, las que)** is used to translate *the one who, he who, those who, the ones who.* (**El cual** is not used in this construction.)

> El que estudia, tendrá éxito.
> *He who studies will be successful.*
>
> Esos actores y los que están en esta telenovela son muy populares.
> *Those actors and the ones who are in this soap opera are very popular.*

D. Uses of *lo cual* and *lo que*

1. **Lo cual** and **lo que** are neuter forms; they are both used to express *which* when the antecedent referred to is not a specific noun but rather a statement, a situation, or an idea.

> Felipe dijo que no vendría, lo cual nos sorprendió.
> *Felipe said he wouldn't come, which surprised us.*
>
> Vi una sombra en la pared, lo que me asustó.
> *I saw a shadow on the wall, which frightened me.*

2. In addition, **lo que** (but not **lo cual**) expresses *what* when the antecedent is not stated.

> Lo que dijo Juan no les parecía posible.
> *What Juan said didn't seem possible to them.*
>
> No sé lo que quieres.
> *I don't know what you want.*

E. Use of *cuyo (-a, -os, -as)*

Cuyo *(whose*, of whom, of which)* is used before a noun and agrees with it in gender and number.

---

* In a question, *whose* is **¿De quién(-es)?: ¿De quién es este boleto?**

La chica cuya madre es profesora se llama Esmeralda.
The girl whose mother is a professor is named Esmeralda.

Ese árbol, cuyas hojas son pequeñas, es un roble.
That tree, the leaves of which are small, is an oak.

EJERCICIOS

A. Substitution drill. Make the corresponding changes.

   1. Es la *esposa* de quien hablo. (tío / mujeres / esposos / profesores)
   2. Esa es la *película* cuyo nombre no recuerdo. (telenovelas / dibujos animados / noticiero / cine)
   3. Esos *señores,* con quienes hablamos, son de Argentina. (señorita / profesora / muchachas / artistas)

B. Complete the sentences with the correct relative pronoun.

   1. La película _____ dan en el Cine Colorado es muy buena.
   2. _____ hablan mucho, poco aprenden.
   3. Allí está el restaurante detrás de _____ vive Carmen.
   4. La mujer con _____ hablan es abogada.
   5. El cine en _____ entran está muy oscuro.
   6. Ese hombre, _____ está hablando ahora con Paco, es el tío de Mirabel.
   7. Jacinto siempre hace _____ ella quiere.
   8. El chico _____ novia quiere ir al partido de jai alai se llama Francisco.
   9. La telenovela _____ a ella le gusta se llama «Simplemente María».
   10. El hombre a _____ conocí anoche es el primo de Fernando.

C. *Complete with* **que, quien(-es), el que, lo que** *or* **lo cual.**

   1. «Simplemente María» es la telenovela _____ me gusta más.
   2. El tío de Carlos, _____ vive en su casa, irá a México.
   3. Ésas son las amigas _____ te hablé.
   4. Él estudió toda la noche, _____ me sorprendió.
   5. Quiero que sepas _____ está ocurriendo.

D. Express the following in Spanish being careful to use the correct relative pronoun in each statement.

   1. Concha and Carlos are the young people who are going to the movies.
   2. The girl that he is going out with is my daughter.
   3. Concha lives in a white house, in front of which are many flowers.

4. What he says is interesting.
5. Her uncle said that he wanted to go too, which seemed strange to them.
6. The girl whose aunt you just met is from Mexico.
7. The theater that we are talking about isn't far from here.
8. The girl, who is very intelligent, wants to go to the show.
9. Manuel's uncle, the one who lives in Colombia, is arriving today.
10. What bothers me is that he never has (any) money.
11. They said that they liked the movie, which was a lie.
12. That girl, whose eyes are large and green, is her cousin.

REPASO

I. Change the following commands to the negative.

1. Dámelo.
2. Dímelo.
3. Ven.
4. Ten cuidado.
5. Estudia la lección.
6. Ve con él.
7. Póngalo aquí.
8. Salgan temprano.
9. Hágalo ahora.
10. Búsquelo.

II. Change the following commands to the affirmative.

1. No empiece ahora.
2. No salgas tarde.
3. No bailemos.
4. No nos levantemos.
5. Que no salga él.
6. No lo hagas.
7. No seas generoso.
8. No llegue temprano.
9. No me lo traiga.
10. No vengas.

III. Select the correct relative pronoun from the forms given in parentheses.

1. Ellos salieron de casa temprano, (quien, lo cual) le molestó a la madre.
2. La señorita de (quien, la cual) hablan es su hermana.
3. (Lo que, El que) ellos hacen no me importa.
4. La telenovela, (quienes, cuyo) argumento es bastante sencillo, es su programa favorito.

5. Ella vive en aquella casa detrás de (que, la cual) hay un parque pequeño.
6. El padre de Victoria, (que, el cual) vive en España, está aquí de visita.
7. Les gustó la película (que, la que) vieron anoche.
8. Estas chicas y (quienes, las que) están allí son sus compañeras de clase.
9. La casa en (la cual, que) vive ella es muy grande.

IV. Give a complete sentence using the words in the order given. Make any necessary changes or additions.

1. Tal vez / ellos / venir / también / pero / yo / dudar
2. Ojalá / él / salir / pronto
3. Quizás / estudiantes / poder / terminar / lección / ahora
4. Venir / usted / pronto / por favor
5. Acaso / ella / saber / respuesta / pero / no / ser / probable

V. **Intercambios.**   Using familiar commands, instruct a classmate to carry out the following activities. (Your classmate is not to react unless the command is given correctly.)
Tell a classmate to:
1. open his or her notebook. (abrir)
2. take out a piece of paper. (sacar)
3. write a complete sentence beginning with **tal vez.** (escribir)
4. read the sentence aloud to you. (leer)
5. put the paper in his or her book. (poner)
6. close his or her book. (cerrar)

VI. **Composición.**   Write a composition describing your idea of a perfect date for the weekend.

A conversar

A. Diálogo

Discutan Vds. el siguiente diálogo.

JULIA   Abuelita, Pablo quiere casarse conmigo. No sé qué hacer.

ABUELA   Pero Julia, Pablo me parece un muchacho excelente. Es guapo, fuerte y tiene un buen futuro.

JULIA   No es eso. Es que no estoy segura si quiero casarme ahora.

ABUELA   Bueno, tienes veinte años. Yo a esa edad ya tenía dos hijos.

JULIA   Esas costumbres ya pasaron de moda, abuelita. Ahora las mujeres no se casan tan pronto.

ABUELA   Eso no está bien. Ésas son mujeres frívolas, hasta inmorales.

JULIA   ¡Abuelita! ¡Tenemos derecho a vivir un poco antes de casarnos!

ABUELA   No estoy de acuerdo. El deber de la mujer es casarse y criar a los hijos. Lo demás sólo trae problemas.

JULIA   Además, ¿qué de mis estudios? Quisiera tener una carrera.

ABUELA   ¡Tonterías! Las que trabajan fuera de casa no sirven para madres. La familia es lo que cuenta. La familia y nada más.

B. Discusión: los hombres y las mujeres

Indiquen Vds. sus preferencias de entre las posibilidades indicadas. Después, comparen sus opiniones con las de sus compañeros de clase.

1.   ¿Qué le parece a Vd. peor que su hijo(-a) haga?
   a.   casarse con alguien de otra raza o religión
   b.   casarse a los 17 años
   c.   quedarse soltero(-a)
2.   Su esposa (-o) tiene un buen amigo (-a) a quien ha conocido desde la juventud. ¿Qué prefiere que haga él o ella?
   a.   que nunca vea a esa persona
   b.   que vea a esa persona sólo cuando Vd. esté presente
   c.   que vea a esa persona cuando y donde quiera

3. ¿Qué clase de esposo(-a) le gustaría
    a. el (la) que siempre quiere mandar
    b. el (la) que se dedica totalmente a una cosa—o a la familia o al trabajo fuera de casa
    c. el (la) que se deja dominar
4. ¿Qué es lo que le importa a Vd. más en un hombre o en una mujer?
    a. su apariencia física
    b. su capacidad de llevarse bien con la gente
    c. su inteligencia
5. ¿Qué deben hacer los viejos en nuestra sociedad?
    a. vivir con sus hijos hasta morirse
    b. vivir en pueblos construidos especialmente para ellos
    c. vivir solos en su propia casa e ir a una sanatorio para viejos si se enferman
6. ¿Cuál es el mejor modo de asegurar los derechos de la mujer en nuestra sociedad?
    a. la ley
    b. la educación
    c. esperar a que se acepte a la mujer como igual al hombre
7. ¿Qué opina Vd. de la posición actual de la mujer en las profesiones?
    a. todavía no es igual al hombre
    b. ya es esencialmente igual al hombre
    c. nunca había y no hay grandes diferencias entre los hombres y las mujeres al nivel profesional
8. ¿Cuál debe ser la actitud del gobierno en cuanto al uso de los medios artificiales para controlar la natalidad?
    a. debe fomentar su uso por medio de la educación
    b. no debe hacer nada
    c. debe requerir su uso

C. Temas de conversación

1. ¿Qué opina Vd. del movimiento feminista? ¿Cree Vd. que debe haber un movimiento de liberación para los hombres?
2. Si una mujer fuera candidato para la presidencia, ¿votaría Vd. por ella? Si tuviera que operarse, ¿le importaría que el cirujano fuera mujer?
3. ¿Son buenos o malos los cambios provocados por el movimiento feminista? ¿Cómo afectan estos cambios a los hombres?
4. ¿Qué opina Vd. del matrimonio? ¿Qué importancia tiene en la sociedad actual? ¿Será importante en la sociedad futura?

6

El concepto
hispánico
de la muerte

El Lic. D. MARIO CABRERA MONTALVO[1]

Descansó en la Paz del Señor

Su esposa Elena Ramos de Cabrera, sus hijos Marta, Begoña, Sonia, Abel, Rosalinda, Blanca, Rodolfo, Cristina y Timoteo Cabrera Ramos agradecerán a sus amigos la asistencia a las exequias que se verificarán el día 6 de junio a las trece horas en la Iglesia de Nuestra Señora de Guadalupe.

Velación:[2] En casa de la viuda, Avenida Bolívar, 135.

CÉSAR   Señora, deseo que Vd. acepte la expresión de mi más profundo pésame. Lamento sinceramente su pérdida.

ELENA   Muchas gracias, César; es un consuelo tremendo tener amigos como usted en estas horas de aflicción.

MANUEL   Señora, la acompaño en sus sentimientos. Don Mario fue un amigo de verdad. Lamento mucho que hayamos perdido un hombre tan ilustre. Pero ya sabe usted: «La muerte a nadie perdona».[3]

ELENA   Muchas gracias, Manuel. El pobre Mario, que en paz descanse,[4] siempre le consideró a usted un joven muy prometedor.

CÉSAR   *(Alejándose de la señora viuda.)* Oye, Manuel, ¿quieres que tomemos una copa?

MANUEL   ¡Bien que la necesito! ¿Dónde está el pobre de don Mario?

CÉSAR   Creo que lo tienen en la sala. Será la primera vez que se siente a gusto en esa sala—doña Elena nunca lo dejaba entrar . . . ¡En mi vida he visto tanta comida! Sírvete de estos taquitos— son sabrosísimos.

MANUEL   Don Mario siempre ofrecía buena comida. Pero se estará quejando del gasto como siempre. ¿Te lleno el vaso?

CÉSAR   Sí, gracias. Mario era medio tacaño, ¿verdad?

MANUEL   ¡Sí que lo era! Ahorraba los centavitos como si fueran de oro. Apenas el viernes pasado se resistía a prestarme diez pesos alegando no tenerlos. ¡Y luego pidió que firmara un pagaré!

CÉSAR   Viejo bribón. Para lo que le haya valido. Dejarlo todo para la viuda y para los hijos haraganes.

MANUEL   Ahí está Mario para decirte lo corta que es esta vida.

CÉSAR	De acuerdo. Oye, pasemos a ver al difunto.
MANUEL	¡Mira! ¿Es posible que Mario vista su traje nuevo? ¡Nunca lo usaba en vida!
CÉSAR	Decía que esperaba una ocasión «trascendental». Bueno, ya hemos cumplido con la viuda. Vamos a despedirnos.
MANUEL	*(A la señora.)* Le repito, señora, mis profundos sentimientos. Voy a rezar por el eterno descanso del alma de don Mario.
ELENA	Muchas gracias, César. Es usted un buen amigo.
MANUEL	Será un consuelo, señora, saber que deja a tantos amigos. Me hubiera gustado despedirme de él en vida pero el Señor no quiso permitirlo.
ELENA	Se hizo la voluntad de Dios. Con saber eso me consuelo. Agradezco mucho que Vds. hayan podido venir. Buenas noches.

NOTAS CULTURALES

1. **El Lic. D. Mario Cabrera Montalvo:** Este es un ejemplo de las «esquelas de difunto» que aparecen en los periódicos hispánicos. La familia las paga y su tamaño refleja la posición económica del difunto. **Lic. D.** es la abreviatura de **Licenciado don.**

2. **velación:** La costumbre de velar al difunto es casi universal en la sociedad hispánica. El velorio tiene sus rasgos de fiesta: se sirven comidas y bebidas y no se considera una falta de respeto divertirse.

3. **«La muerte a nadie perdona»:** Es un refrán popular en español. Los refranes se usan más en la cultura hispánica que en la anglosajona, especialmente en las ocasiones solemnes.

4. **(que) en paz descanse:** Es muy común incluir esta frase u otra semejante cuando uno menciona el nombre de un difunto.

VOCABULARIO

aflicción	grief	**bribón** *m*	rascal
agradecer	to be grateful	**difunto,-a**	deceased person
ahorrar	to save (money)	**exequias**	funeral rites
alegar	to claim	**firmar**	to sign
alma*	soul, spirit	**gasto**	expense

---

* **Alma** is feminine, but it takes the definite article **el** when used in the singular.

haragán,-na lazy, good-for-nothing

pagaré promissory note, I.O.U.

pésame m condolence

prometedor,-ra promising

rasgo characteristic

refrán m saying, proverb

rezar to pray

sabrosísimo,-a really delicious

taquito (dim. of **taco**) snack

velación vigil, watch, wake

velar to hold a wake over

velorio wake

verificarse to take place

viudo,-a widower; widow

voluntad will

a gusto at ease

bien que la necesito I really need it

cumplir con to fulfill one's obligations to

de verdad true, real

en mi vida never in my life

(que) en paz descanse (may he) rest in peace

esquela de difunto obituary notice

lo corto,-a how short

medio tacaño somewhat stingy or miserly

para lo que le haya valido a lot of good it did him

tomar una copa to have a drink

Preguntas

1. ¿Por qué vienen Manuel y César a casa de doña Elena?
2. ¿Qué significa «la muerte a nadie perdona»? 3. ¿Dónde está el cuerpo de don Mario? 4. ¿Qué toman César y Manuel?
5. ¿Gastaba mucho dinero don Mario? 6. ¿Cómo son los hijos de don Mario? 7. ¿Qué viste el difunto? ¿Por qué se sorprende Manuel? 8. ¿Qué hacen César y Manuel después de ver al difunto? 9. ¿César y Manuel en realidad eran buenos amigos de Mario? ¿Por qué?

Preguntas Personales

1. ¿Ha asistido Vd. alguna vez a un velorio? 2. ¿Cree Vd. que un velorio debe ser solemne? 3. ¿Cree Vd. que es una buena o mala costumbre tener al difunto en casa durante el velorio? 4. En su opinión, ¿debe asistir a las exequias solamente la familia del difunto? ¿Por qué? 5. ¿Piensa Vd. que la muerte es un aspecto de la vida mejor aceptado en el mundo hispánico? ¿Cómo es en los Estados Unidos? 6. ¿Cree Vd. que hay otra vida después de la muerte? Explique. 7. ¿Qué piensa Vd. de las exequias lujosas y costosas? 8. ¿Piensa Vd. que a veces las exequias en los Estados Unidos son más paganas que religiosas? ¿Por qué?

Gramática

The Imperfect Subjunctive

1. The imperfect (past) subjunctive is formed by dropping the **-ron** of the third person plural preterite indicative and adding one of the following sets of endings: **-ra, -ras, -ra, '-ramos, -rais, -ran;** or **-se, -ses, -se, '-semos, -seis, -sen.** The same endings are used for all three conjugations.

Preterite	Imperfect Subjunctive
hablaron	**hablara—hablase**
comieron	**comiera—comiese**
vivieron	**viviera—viviese**

2. The two sets of endings are interchangeable in most cases; however, the **-ra** endings are more common in Latin America and will be used in this text.

hablar	**comer**
hablara, hablase	comiera, comiese
hablaras, hablases	comieras, comieses
hablara, hablase	comiera, comiese
habláramos, hablásemos	comiéramos, comiésemos
hablarais, hablaseis	comierais, comieseis
hablaran, hablasen	comieran, comiesen

vivir
viviera, viviese
vivieras, vivieses
viviera, viviese
viviéramos, viviésemos
vivierais, vivieseis
vivieran, viviesen

NOTE: All verbs—regular, irregular, stem-changing, and ortho-graphic-changing—follow the same pattern of conjugation in the imperfect subjunctive.

Infinitive	**Third Person Plural Preterite**	**Imperfect Subjunctive**
decir	dijeron	**dijera (-se)**
ser	fueron	**fuera (-se)**
hacer	hicieron	**hiciera (-se)**
poner	pusieron	**pusiera (-se)**

poder	pudieron	**pudiera (-se)**
haber	hubieron	**hubiera (-se)**
leer	leyeron	**leyera (-se)**
construir	construyeron	**construyera (-se)**
dormir	durmieron	**durmiera (-se)**
pedir	pidieron	**pidiera (-se)**
creer	creyeron	**creyera (-se)**

The Present Perfect and Past Perfect Subjunctive

A. The present perfect subjunctive

The present perfect subjunctive is formed with the present subjunctive of the auxiliary verb **haber** and a past participle.

haya	
hayas	hablado
haya	
hayamos	comido
hayáis	
hayan	vivido

B. The Past Perfect Subjunctive

The past perfect subjunctive is formed with the imperfect subjunctive of **haber** and a past participle.

hubiera (-se)	
hubieras (-ses)	pagado
hubiera (-se)	
hubiéramos (-semos)	bebido
hubierais (-seis)	
hubieran (-sen)	salido

EJERCICIOS

A. Give the first person singular of each of the following verbs in the present subjunctive, imperfect subjunctive, present perfect subjunctive, and past perfect subjunctive.

MODELO: hablar
hable, hablara, haya hablado, hubiera hablado

1.	andar	11.	poder
2.	conducir	12.	querer
3.	dar	13.	ser
4.	decir	14.	tener
5.	dormir	15.	ver
6.	estar	16.	venir
7.	hacer	17.	conocer
8.	llegar	18.	empezar
9.	pedir	19.	escribir
10.	poner	20.	traer

B. Substitution drill. (**¡Ojalá!** + imperfect or past perfect subjunctive = *I wish.*)

1. ¡Ojalá que supieras la respuesta! (Vds. / María / nosotras / yo / mis hermanos)
2. ¡Ojalá hubieran llegado a tiempo! (yo / Pepe / nosotros / tú / Vds.)
3. Quizás Pepe haya hecho la tarea. (Juan y él / tú / Vds. / Julia)

The Subjunctive in Noun Clauses

A. Verbs requiring the subjunctive

1. The subjunctive is frequently used in dependent noun clauses in Spanish. A dependent noun clause is one that functions as the subject or object of a verb. Such clauses in Spanish are always introduced by **que,** but in English, *that* is often omitted or an infinitive is used in place of the noun clause.

   > Es dudoso que él sea rico.
   > *It is doubtful that he is rich.* («Que él sea rico» is a noun clause that functions as the subject of the verb «es».)

   > Esperamos que ellos vengan.
   > *We hope (that) they will come.* («Que ellos vengan» is a noun clause that functions as the object of the verb «esperamos».)

2. The subjunctive is generally used in a dependent noun clause when the verb in the main clause of the sentence expresses such things as advising, wishing, desiring, commanding, requesting, doubt, denial, disbelief, emotion, and the like, and when there is a *change of subject* in the dependent clause. If there is no change of subject, the infinitive follows these verbs.

Su mamá quiere que ella estudie más.
Her mother wants her to study more. (change of subject from "her mother" in the main clause to "she" in the dependent clause)

Ella quiere estudiar más.
She wants to study more. (no change of subject)

3.   Other examples of verbs requiring the subjunctive:

ADVICE:	Le aconsejo que asista al velorio.
	I advise him to attend the wake.
COMMAND:	Me mandó que viniera con él.
	He ordered me to come with him.
DESIRE:	Quieren que Juan hable con ella.
	They want Juan to speak with her.
WISH:	Deseo que Vd. acepte la expresión de mi más profundo pésame.
	I want you to accept the expression of my deepest sympathy.
HOPE:	Espero que Vd. no vacile en decírmelo.
	I hope that you will not hesitate to tell me.
INSISTENCE:	Insisten en que tomemos una copa.
	They insist that we have a drink.
PREFERENCE:	La familia prefiere que sus amigos vengan a las cuatro.
	The family prefers that their friends come at four.
REQUEST:	Ella le pidió que pagara la cuenta.
	She asked him to pay the check.
EMOTION:	Lamento mucho que hayamos perdido un hombre tan ilustre.
	I very much regret that we have lost such an illustrious man.
	Me alegro de que Vds. hayan venido.
	I am glad that you have come.
DOUBT:	Dudo que Paco haya hecho la tarea.
	I doubt that Paco has done the assignment.
DENIAL:	Manuel negó que don Mario fuera un hombre generoso.
	Manuel denied that Don Mario was a generous man.
DISBELIEF:	No creía que ella se hubiera atrevido a venir.
	I didn't believe that she would have dared to come.

4. Verbs of communication (**Decir, escribir,** etc.) require the subjunctive when the communication takes the form of an indirect command. When the verb of communication merely gives information, the indicative is used.

> Te digo que ganes más dinero.
> *I'm telling you to earn more money.* (command)
>
> Te digo que Juan gana más dinero.
> *I'm telling you that Juan earns more money.* (information)
>
> Nos escribe que vengamos al velorio de don Mario.
> *He writes us to come to Don Mario's wake.* (command)
>
> Nos escribe que fue al velorio de don Mario.
> *He writes us that he went to Don Mario's wake.* (information)

B. Infinitive instead of dependent noun clause

1. After certain verbs of ordering, forcing, permitting, and preventing, the infinitive is more common than a dependent noun clause. This is particularly true when a personal pronoun is the object of the main verb. Verbs that can take an infinitive include **mandar, ordenar, obligar a, prohibir, impedir, permitir, hacer, dejar, aconsejar.** (The infinitive is especially frequent after **dejar, hacer, mandar,** and **permitir.**)

> Le aconsejo asistir al velorio de don Mario.
> *I advise him to attend Don Mario's wake.*
>
> Me mandó venir con él.
> *He ordered me to come with him.*
>
> Nos permiten entrar en la casa.
> *They permit us to enter the house.*

2. If the subject of the dependent verb is a noun, then the subjunctive is often used.

> Ella no permite que don Mario entre en la sala.
> *She doesn't permit Don Mario to enter the living room.*

C. Subjunctive or indicative with certain verbs.

1. The verbs **creer** and **pensar** are normally followed by the indicative in affirmative sentences.

Creo que él vendrá.
I believe that he will come.

Él piensa que lo tienen en la biblioteca.
He thinks that they have it in the library.

2.   When **creer** and **pensar** are used in interrogative or negative sentences expressing doubt, they require the subjunctive.

No creo que él le haya dejado nada.
I don't believe that he has left her anything.

¿Piensas que tu primo venga?
Do you think that your cousin may come?

3.   When **temer** *(to be afraid)* and **esperar** *(to expect)* express belief rather than fear or hope, they are often followed by the indicative.

Temo que ella no ha pagado la renta.
I am afraid that she hasn't paid the rent.

Espero que todo saldrá bien.
I expect everything will turn out well.

Sequence of Tenses

As you saw in the preceding examples, the use of either the present or the imperfect subjunctive in the dependent clause is usually determined by the tense of the verb in the main clause.

1.   If the verb in the main clause is in the present, present perfect, or future tense, or is a command, the present or present perfect subjunctive is regularly used in the dependent clause.*

Main Clause—Indicative	**Dependent Clause—Subjunctive**
present	
present progressive	
present perfect	present subjunctive
future	
future perfect	present perfect subjunctive
command	

---

* In situations where the sense of the sentence requires it, the imperfect subjunctive may be used in a dependent clause even though the present indicative appears in the main clause: **Espero que ellos llegaran anoche.** *(I hope that they arrived last night.)*

2. If one of the past tenses or the conditional is used in the main clause, either the imperfect or the pluperfect subjunctive regularly follows in the dependent clause.

Main Clause— Indicative	**Dependent Clause— Subjunctive**
imperfect preterite past progressive pluperfect conditional conditional perfect	imperfect subjunctive past perfect subjunctive

EJERCICIOS

A. Conjugate the verbs in parentheses in either the indicative or the subjunctive, depending upon the requirements of each sentence.

1. Espero que ellos (llegar) _____ a tiempo.
2. Sentíamos que Vds. no (haber) _____ recibido el dinero.
3. Creen que Pedro (ser) _____ un hombre generoso.
4. Temía que su esposa no (querer) _____ ir al velorio.
5. Ellos niegan que Aurelio (haber) _____ salido.
6. No creo que Marta (tener) _____ razón.
7. ¿Piensas que tus amigos (ir) _____ a venderla?
8. Dudamos que los estudiantes (saber) _____ la respuesta.
9. Doña Elena quería que los invitados (tomar) _____ una copa.
10. El cura le aconseja a Julia que (volver) _____ a Texas.
11. Alicia prefería que Carlos no (decir) _____ más tonterías.
12. Los jóvenes me dijeron que Juan no (ir) _____ al partido con ellos.
13. El consejero insistió en que Tomás (conseguir) _____ una buena colocación.
14. César quiere que ellos (expresar) _____ sus pésames.
15. Las chicas esperaban (hacer) _____ un viaje a Segovia.

B. Form new sentences, using the words in parentheses and making all necessary changes.

MODELO: Espero salir temprano. (que ellos)
Espero que ellos salgan temprano.

1. Él insiste en ir a la iglesia. (que ellos)
2. Ella prefería hacer el viaje en avión (que nosotros)
3. Queríamos ir a misa esta semana. (que tú)
4. Desean probar los taquitos. (que Tomás)

5. Esperamos llegar a una decisión pronto. (que el jefe)
6. Temo tener mala suerte. (que él)
7. Nos alegramos de poder asistir a la fiesta. (que tú)
8. Yo sentía mucho salir tan temprano. (que ellos)

C. Answer the following questions in the affirmative.

MODELO: ¿Temes que él no tenga el dinero?
Sí, temo que no tenga el dinero.

1. ¿Crees que Pepe sea muy inteligente?
2. ¿Prefieren sus padres que vayamos con Vds.?
3. ¿Esperas que asistamos al concierto?
4. ¿Quiere Vd. que yo compre los boletos?
5. ¿Desean Vds. que ella haga el viaje?
6. ¿Dudan Vds. que yo pueda hablar con el consejero?

D. Express the following in Spanish.

1. They are sorry that Don Mario has died.
2. She hopes they will come to the wake.
3. We doubted that she would arrive at eight.
4. Doña Elena wanted them to have a drink.
5. They think he has told the truth.
6. I'm telling you to leave right away.
7. They believed that Don Mario had a lot of money.
8. She was glad that they went to the tennis game.
9. We want to see the French film too.
10. The parents hope that their children can attend the university.

The Subjunctive After Impersonal Expressions

1. The subjunctive is regularly used after the following impersonal expressions when the dependent verb has an expressed subject. When there is no expressed subject, the infinitive is used instead.

Es necesario que (ellos) estudien.
It is necessary for them to study.

BUT:

Es necesario estudiar.
It is necessary to study.

es posible   *it is possible*   es una lástima   *it is a pity*
es necesario   *it is necessary*   más vale   *it is better*

es preciso   *it is necessary*
es importante   *it is important*
es bueno   *it is good*
es justo   *it is just (right)*
es natural   *it is natural*

es triste   *it is sad*
es fácil*   *it is likely*
es difícil   *it is unlikely*
es probable   *it is probable*
es lamentable   *it is lamentable*
es imposible   *it is impossible*

es preferible   *it is preferable*
es urgente   *it is urgent*
es sorprendente   *it is surprising*
conviene   *it is advisable*
importa   *it matters, it is important*

es raro   *it is odd*
es extraño   *it is strange*
es dudoso   *it is doubtful*
es mejor   *it is better*
es de esperar   *it is to be hoped*

es ridículo   *it is ridiculous*

2. The following impersonal expressions do not require the subjunctive unless they are used in a negative or interrogative sentence with doubt implied.

es cierto   *it is certain (true)*
es evidente   *it is evident*
es claro   *it is clear*
es verdad   *it is true*
es seguro   *it is certain*

¿Es cierto que ellos sean ricos?
Is it certain that they are rich? (doubt implied)

No es cierto que ellos sean ricos.
It is not certain that they are rich.

¿Es evidente que él sea muy fuerte?
Is it evident that he is very strong? (doubt implied)

No es evidente que él sea muy fuerte.
It's not evident that he is very strong.

EJERCICIOS

A. Complete the sentences with the correct form of the verb in parentheses.

1. Es necesario que ellos (comprar) _____ la casa de campo.
2. Es evidente que los jóvenes (estar) _____ enamorados.
3. No es cierto que César (haber) _____ salido todavía.

---

* Note that **Es fácil (difícil) que lo haga** means *It is likely (unlikely) that he will do it. It is easy (difficult) for him to do it* is usually translated **Le es fácil (difícil) hacerlo.**

4. Es una lástima que él (haber) _____ muerto.
5. Es probable que la familia (mudarse) _____ a la capital.
6. Fue importante que Carlos (conseguir) _____ los boletos.
7. Era verdad que el abogado (salir) _____ con sus clientes.
8. Más valía que su padrino (venir) _____ con los familiares.
9. Importaba que su tío (quedarse) _____ en casa.
10. Fue cierto que los hijos (romper) _____ el vaso.

B. Answer the following questions in the negative.

1. ¿Es necesario que yo lo lea?
2. ¿Es cierto que Vds. salen a las nueve?
3. ¿Es preciso que Vd. venga con nosotros?
4. ¿Es verdad que ellos han puesto la maleta ahí?
5. ¿Es difícil que encontremos trabajo?
6. ¿Es evidente que él ha pagado todo?

C. Form new sentences, using the words in parentheses.

MODELO: Es necesario ir al cine. (que ellos)
          Es necesario que ellos vayan al cine.

1. Es posible ganar más dinero en la capital. (que ellos)
2. Es preciso hacer el trabajo con cuidado. (que el obrero)
3. Es importante asistir a la universidad. (que tú)
4. Es una lástima tener tanta angustia. (que ella)
5. Es imposible salir temprano. (que yo)

D. Express the following in Spanish.

1. It was necessary for Julia to leave on time.
2. It is true that he does not earn much money.
3. It was a pity they had to go to the wake.
4. It is important that he do it.
5. It was evident that they could not find it.
6. It was not certain that the guests would arrive on time.
7. It is possible that the family members will have more opportunities to visit with her.
8. It was necessary for her to prepare a lot of food for the party.

Affirmative and Negative Expressions

A. Forms

Negative Expressions		Affirmative Counterparts	
nada	nothing, not anything	algo	something, anything
nadie	no one, nobody, not anybody	alguien	someone, somebody, anyone, anybody
ninguno (ningún)	no, no one, none, not any (anyone)	alguno (algún)	some(one), any, (pl.) some
nunca	never, not ever	siempre	always
jamás		algún día	someday
		alguna vez	sometime, ever
tampoco	neither, not either	también	also
ni . . . ni	neither . . . nor	o . . . o	either . . . or

B. Uses

1. Simple negation is achieved in Spanish by placing the word **no** directly before the verb or verb phrase.

   > **No** voy a la biblioteca esta tarde.
   > Pedro **no** ha empezado la tarea.

2. If one of the negative words listed above follows a verb, then **no** (or another negative word) must precede the verb; the result in Spanish is a double negative. However, if the negative word precedes the verb, the **no** is omitted.

   > No tengo nada. BUT: Nada tengo.
   > *I have nothing. (I don't have anything.)*

   > No voy nunca a la iglesia. BUT: Nunca voy a la iglesia.
   > *I never go to church. (I don't ever go to church.)*

   > Nunca dice nada.
   > *He never says anything.*

3. The personal **a** is required with **alguien, nadie, alguno** and **ninguno** when these forms are used as objects of a verb.

   > ¿Conoces a alguien en Nueva York? No, no conozco a nadie.
   > *Do you know anyone in New York? No, I don't know anyone.*

> ¿Viste a alguno de tus amigos? No, no vi a ninguno.
> *Did you see any of your friends.? No, I didn't see any(one).*

4. **Ninguno** and **alguno** drop their final **-o** before masculine singular nouns to become **ningún** and **algún,** respectively.

> Algún día voy a comprar una casa de campo.
> *Someday I am going to buy a country house.*

5. **Alguno(-a)** may be used in the singular or the plural, but **ninguno(-a)** is almost always used in the singular.

> ¿Conoces a algunos de los músicos en la orquesta?
> *Do you know some of the musicians in the orchestra?*
>
> No hay ningún libro en esa mesa.
> *There are no books on that table.*

6. **Nunca** and **jamás** both mean *never.* In a question, however, **jamás** means *ever* and anticipates a negative answer. To express *ever* when either an affirmative or a negative answer is possible, **alguna vez** is used.

> Jamás voy al cine.
> *I never go to the movies.*
>
> ¿Has oído jamás tal mentira?
> *Have you ever heard such a lie?*
>
> ¿Has estado alguna vez en Europa?
> *Have you ever been in Europe?*

7. **Algo** and **nada** may also be used as adverbs.

> Esta máquina de escribir fue algo cara.
> *This typewriter was somewhat expensive.*
>
> Este coche no es nada barato.
> *This car is not at all cheap.*

EJERCICIOS

A. Make the following sentences negative, following the model.

MODELO: Tengo algo en mi bolsillo.
          No tengo nada en mi bolsillo.

1. Hay alguien aquí.
2. Algunos de los invitados tomaron una copa.
3. Siempre vamos al cine con nuestros padres.

4. Elena va al velorio también.
5. Vamos o a la iglesia o a su casa.
6. Van a comprarle algo para la viuda.
7. Hay algunos vecinos en la sala.
8. ¿Conoces a alguien en esa clase?
9. Algún día aprenderé los verbos irregulares.
10. ¿Hicieron algo esos haraganes?

B. Express the following sentences two ways in Spanish.

1. No one knows him.
2. I never study here.
3. He doesn't work either.
4. Nothing interests me.
5. None (of them) is here.

REPASO

I. Substitute according to the model. Make all necessary changes.

MODELO: Espero ir. (que tú)
Espero que tú vayas.

1. Quiero hacerlo. (que él / que nosotros / que Vds. / que tú)
2. Espera dormirse. (que yo / que ellas / que tú / que nosotros)
3. Se alegran de conocerla. (que tú / que Vds. / que él / que nosotros)
4. Temían decirlo. (que yo / que nosotros / que tú / que ella)
5. Yo insistía en venir. (que ellos / que tú / que nosotros / que Vd.)
6. Preferían leerlo. (que yo / que tú / que nosotros / que Vds. / que ella)

II. Translation and substitution.

1. Queremos que Vd. lea.
   We want you to study.
   We want you to go.
   We want you to stay.
   We want you to sell it.
2. Le pedí que lo hiciera.
   I asked him to bring it.
   I asked him to write it.
   I asked him to look for it.
   I asked him to read it.

3. Ella espera que hayan salido.
   She hopes that they have studied.
   She hopes that they have written the exercises.
   She hopes that they have come.
   She hopes that they have seen it.
4. Ellos sentían que yo hubiera ido.
   They were sorry that I had come.
   They were sorry that I had seen the film.
   They were sorry that I had made the trip.
   They were sorry that I had not danced.

III. **Intercambios.**   Ask a classmate the following questions. His or her responses are to be given in the negative.

1. ¿Tienes algo para mí?
2. ¿Hablas a alguien por teléfono cada noche?
3. ¿Vestía algún traje nuevo?
4. ¿Asistes siempre a las exequias de un desconocido?
5. ¿Vas a ir algún día a Rusia?
6. ¿Quieres ir a la biblioteca o al velorio?
7. ¿Vas a las exequias de don Mario?

IV. **Composición.**   Write a composition relating your feelings and attitudes toward death.

A conversar

A. Diálogo

Discutan Vds. el siguiente diálogo.

PILAR   Hoy hablé con Silvia en el hospital.

LUPE   ¿Sí? ¿Cómo está? Pobrecita, eso de esperar la muerte tiene que ser espantoso.

PILAR   Sí, es horrible. Ella se ha resignado un poco ahora.

LUPE   ¡Pero qué tragedia! Me acuerdo de cómo no lo aceptaba al principio.

PILAR   Dicen que así pasa. Uno primero resiste y luego se resigna. ¿Tú tienes miedo a la muerte?

LUPE   Bueno, ahora no. No pienso mucho en eso.

PILAR   Creo que preferiría que me dejaran morir si fuera Silvia.

LUPE   ¿Te podrías suicidar en ese caso?

PILAR   No. Sería un pecado. Pero no quiero que me mantengan viva con máquinas.

LUPE   Es una diferencia sutil, ¿verdad?

PILAR   Sí, pero importante, ¿no crees?

B. Temas de conversación

1. ¿Cuál es su actitud hacia la muerte? (¿Tiene Vd. miedo de morirse? ¿Cree Vd. que hay algo después de la muerte? ¿Le gusta asistir a los velorios? ¿Deben ser costosos los entierros?)

2. En muchas culturas, incluyendo la hispánica, la muerte es un hecho que se acepta de una manera bastante realista. En la nuestra tratamos de esconder o de no confrontar el hecho de la muerte. ¿Cómo evitamos la realidad de la muerte? (¿Cómo son los entierros en los Estados Unidos? ¿Cómo se prepara el cadáver para el entierro?)

3. Los sicólogos dicen que el que sabe que va a morirse dentro de poco tiempo pasa por un proceso que empieza con la ira y la negación y termina con la aceptación de la muerte. ¿Cómo reaccionaría Vd. ante tales noticias? ¿Qué cosas quisiera hacer antes de morirse?

4. Actualmente es posible mantener viva a una persona mediante procesos artificiales, incluyendo el uso de máquinas. Si una persona ha sufrido un daño cerebral y se ve reducida permanentemente al nivel de un vegetal, ¿se debe mantenerla viva artificialmente? ¿Cuándo deja de vivir una persona?

C. Discusión: La muerte

1. **El epitafio.** Aunque en nuestra cultura preferimos no pensar en la muerte, la contemplación de la muerte puede darnos una nueva actitud hacia la vida. Nuestros antepasados lo entendieron así e hicieron grabar en sus losas unos epitafios que resumieron sus vidas. Algunos ejemplos:

   Aquí yace Harry Miller entre sus esposas Elinore y Sarah.
   Pidió que lo inclinaran un poco hacia Sarah.
   Eric Langley: Él sí se lo llevó todo consigo.
   William Barnes: Padre generoso y leal.
   Nancy Smith: A veces amaba, a veces lloraba.

   a. ¿Qué quiere Vd. que le graben en su losa?
   b. ¿Podría Vd. escribir un epitafio que resumiera toda su vida en pocas palabras?

2. **El obituario.** Los obituarios también pueden ayudarnos a ver más claramente nuestras vidas. Completando las frases siguientes (y añadiendo lo que Vd. quiera), escriba su obituario. Después, léalo a la clase.

   Falleció ayer _____ a la edad de _____ .
   La causa de su muerte fue _____ .
   Le sobrevive _____ .
   Antes de morirse estudiaba para ser _____ .
   Sus amigos se acordarán de él (ella) por _____ .
   Su muerte temprana no le permitió _____ .
   Su familia indica que en vez de mandar flores se puede
   _____ .

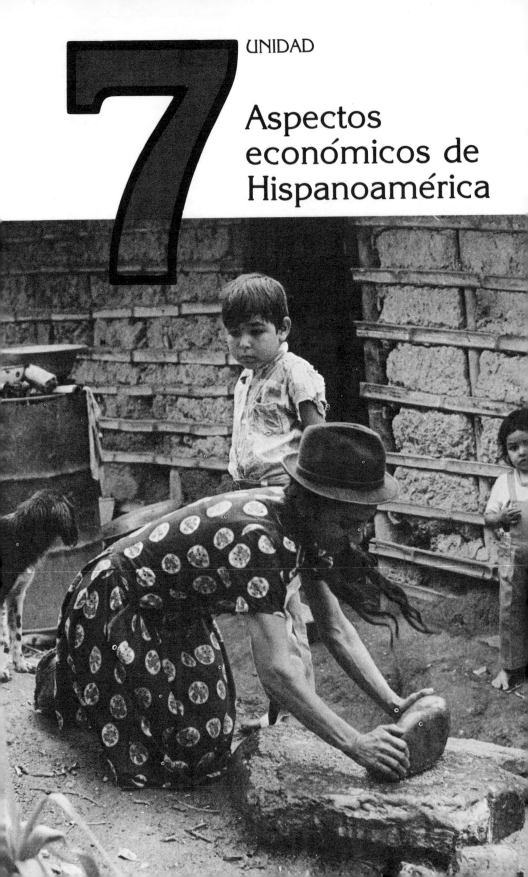

UNIDAD

7

Aspectos económicos de Hispanoamérica

(Una choza campesina. Pedro llega cansado después de un día de trabajo en su parcela de tierra.)

PEDRO Hola, Teresa, ¿qué hay de comer? Vengo muerto de hambre.

TERESA ¡Ay! Has llegado temprano—déjame calentar los frijoles. Primero voy a acostar a Panchito. Duérmete mi niño. Que sueñes con los angelitos. Así es.

PEDRO Se me partió el machete hoy. ¡Qué diablos! No hay un día que no traiga mala suerte. No sé cómo he de ganarme el pan trabajando esta tierra seca.

TERESA Pedro, tengo una noticia. Fui a ver a la Mamá Teófila[1] y me dice que estoy embarazada.

PEDRO ¡Qué bueno! ¡Qué feliz me haces! Pero . . . otra boca; ¿qué hacemos?

TERESA Dios dirá, Pedro. Quizás puedo coser ajeno. La señora Cruz busca a alguien que le haga unos vestidos para el verano.

PEDRO Prohibo que trabajes, mujer. Estaba pensando una cosa, ¿sabes? ¿Por qué no nos mudamos a la capital?[2] Allí puedo buscar un trabajo que pague bien.

TERESA Pero, Pedro, ¿qué hacemos con la casa? ¿Y si no encuentras algo? Me siento más segura aquí; al menos tenemos techo—pobre tal vez, pero seguro.

PEDRO ¿No quieres que tus hijos tengan más oportunidades que nosotros? Aquí no hay nada que valga la pena. . . . Y será mejor para ti también. No tendrás que depender más de la Mamá Teófila. Debes tener un médico que sepa lo que hace, un hospital que tenga facilidades modernas. Además, podríamos divertirnos un poco. Dicen que hay cines en la ciudad que dan películas todas las noches en vez de una película por semana como el de aquí.

TERESA ¿Y es cierto que hay lugares donde se pueda bailar todas las noches? ¿Y que hay parques bellos y camiones que te lleven dondequiera?

PEDRO Sí, Teresa, todo eso y mucho más. Podremos comprarnos un televisor. No tendremos que ir a verlo a la cantina como aquí.

TERESA Pero, ¿dónde viviremos?

PEDRO Hay un barrio llamado San Blas. Allí viven los Otero y los Palma que fueron a la capital el año pasado. Hay escuelas buenas para Panchito y para el niño que esperamos. Quiero que asistan a buenas escuelas que les den mejores posibilidades.

TERESA Yo también, yo también, Pedro. Y tú, ¿qué harás? No quiero que sufras por falta de trabajo.

PEDRO   Con todos los automóviles que hay en la ciudad, siempre habrá necesidad de alguien que sepa de mecánica. Habrá un taller que necesite otro trabajador.

TERESA   Pero, Pedro, ¿qué hacemos si . . .

PEDRO   No te preocupes, mi amor, todo saldrá bien. Quiero que mi familia tenga de todo, ¿entiendes? De todo lo bueno de la vida.

NOTAS CULTURALES

1. la Mamá Teófila: En las regiones rurales de Hispanoamérica, todavía es común utilizar los servicios de una partera. Esto se debe a la tradición y, por otra parte, al hecho de que no hay médicos en cada pueblo.

2. ¿Por qué no nos mudamos a la capital?: Las ideas que expresa Pedro sobre las ventajas de la vida urbana son bastante generalizadas en las zonas rurales y han causado una migración constante hacia las grandes ciudades. Desgraciadamente, uno de los resultados más frecuentes ha sido la creación de barrios de miseria alrededor de las mismas ciudades. Otro es la desilusión y amargura de la gente en esta situación.

VOCABULARIO

ajeno,-a   belonging to another
amargura   bitterness
barrio   neighborhood, district
camión *m*   bus (*slang*)
calentar   to heat
campesino,-a   peasant, rural
cantina   bar
choza   hut, shack
dondequiera   anywhere, wherever
embarazada   pregnant
frijol *m*   bean

mecánica   mechanics
mudarse   to move (residence)
partera   midwife
partírsele a uno   to break, split
seca   dry
soñar (con)   to dream (about)
taller *m*   shop, workshop
techo   roof
televisor *m*   television set
ventaja   advantage
vestidos   dresses

coser ajeno   to take in sewing
ganarse el pan   to earn a living
haber de   to be supposed to
que sueñes con los angelitos   sweet dreams

Preguntas

1. ¿Por qué llega Pedro a casa temprano? 2. ¿Qué es lo que tienen para comer? 3. ¿Cuál es la noticia que Teresa le da a Pedro? 4. ¿Qué piensa hacer ella? 5. ¿Cuál es la idea de Pedro? 6. ¿Por qué se siente Teresa más segura en el campo? 7. Según Pedro, ¿qué diversiones hay en las ciudades? ¿y según Teresa? 8. ¿Qué trabajo va a buscar Pedro? 9. En cuanto a su familia, ¿qué quiere Pedro? 10. En las circunstancias de Pedro y Teresa, ¿iría Vd. a la ciudad?

Preguntas Personales

1. ¿Dónde prefiere Vd. vivir, en la ciudad o en el campo? 2. ¿Cuáles cree Vd. que son las ventajas de vivir en la ciudad? ¿las desventajas? 3. ¿Cuáles cree Vd. que son las ventajas de vivir en el campo? ¿las desventajas? 4. En su opinión, ¿qué causa la pobreza en la sociedad? 5. ¿Piensa Vd. que es posible eliminar la pobreza? ¿Por qué? 6. ¿Cree Vd. que es la responsabilidad del gobierno ayudar a los pobres? ¿Por qué? 7. Según Vd., ¿es posible que un pobre sea feliz? 8. ¿Prefiere Vd. ser una persona pobre y contenta o rica y descontenta? ¿Por qué?

Gramática

The Subjunctive in Adjective Clauses

1. An adjective clause modifies a noun or pronoun (referred to as the antecedent) in the main clause of the sentence. Adjective clauses are always introduced by **que.**

    Vive en una casa **grande**. (simple adjective modifying *casa*)

    Vive en una casa **de ladrillo**. (adjective phrase modifying *casa*)

    Quiere vivir en una casa **que tenga muchos cuartos.** (adjective clause modifying *casa*)

2. If the adjective clause modifies an indefinite or negative antecedent, the subjunctive is used in the adjective clause. If the

antecedent being described is something or someone certain or definite, the indicative is used.

Aquí no hay nada que valga la pena. (negative antecedent)
There is nothing here that is worth the trouble.

Debes tener un médico que sepa lo que hace. (indefinite antecedent)
You ought to have a doctor who knows what he is doing.

Buscaba un hospital que tuviera facilidades modernas. (indefinite antecedent)
He was looking for a hospital that had modern facilities.

Haré lo que diga el jefe. (indefinite antecedent)
I'll do what(ever) the boss says.

No hay nadie que sepa la respuesta. (negative antecedent)
There is no one who knows the answer.

BUT:

Aquí hay algo que vale la pena. (definite antecedent)
There is something here that is worth the trouble.

Tiene un médico que sabe lo que hace. (definite antecedent)
He has a doctor who knows what he is doing.

Ha encontrado un trabajo que paga bien. (definite antecedent)
He has found a job that pays well.

3. The personal **a** is not used when the object of the verb in the main clause does not refer to a specific person or persons; however, it is used before **nadie, alguien,** and forms of **ninguno** and **alguno** when they refer to a person who is the direct object of the verb.

Busca un médico que sepa lo que hace.
He is looking for a doctor who knows what he is doing.

No he visto a nadie que pueda hacerlo.
I have not seen anyone who can do it.

¿Conoce Vd. a algún hombre que quiera comprar la finca?
Do you know a (any) man who wants to buy the farm?

EJERCICIOS

A. Complete the sentences with either the indicative or the subjunctive of the verbs in parentheses.

1. Busco un trabajo que me (gustar) _____ .
2. Necesita un hombre que (poder) _____ servir de guardia.
3. Su esposo quería ir a una ciudad que (ser) _____ más moderna.
4. Tengo un puesto que (pagar) _____ más que ése.
5. Han encontrado un artículo que (ser) _____ interesante.
6. No hay ninguna persona que (creer) _____ eso.
7. Conoce a un mecánico que (arregla) _____ máquinas de escribir.
8. Necesitan una habitación que (ser) _____ cómoda y espaciosa.
9. Siempre tienen ayudantes que (hablar) _____ inglés.
10. Tenemos un médico que (saber) _____ lo que hace.
11. Hay alguien que (poder) _____ explicarlo.
12. ¿Conoces a alguien que (hacer) _____ vestidos?

B. Answer the questions in the affirmative.

1. ¿Conoces a alguien que sepa manejar?
2. ¿Tienes un libro que sea interesante?
3. ¿Hay alguien que lo entienda?
4. ¿Has encontrado un médico que sepa lo que hace?
5. ¿Hay un estudiante que quiera comprar mi coche?

C. Change the following sentences to the negative.

1. Hay alguien que cree eso.
2. Hay algunos hombres que tienen mucho éxito.
3. Había algo que yo podía hacer.
4. Había una mujer que conocía a Gonzalo.
5. Conozco a alguien que vive en ese barrio.

D. Express the following in Spanish.

1. I want to live in a house that is near the beach.
    I live in a house that is near the beach.
2. I needed a newspaper that was from Mexico.
    I had a newspaper that was from Mexico.
3. They were looking for a man who wanted to buy their house.
    They found a man who wanted to buy their house.
4. They need to find someone who repairs cars.
    They know someone who repairs cars.
5. There is no one who can help us.
    There is someone who can help us.

Subjunctive Versus Indicative After Indefinite Expressions

A. The subjunctive after indefinite expressions

The subjunctive is used after the following expressions when they refer to an indefinite or uncertain time, condition, person, place, or thing:

1. relative pronouns or adverbs appended with **-quiera:**

dondequiera	*wherever*	cualquier(a)	*whatever, whichever*
cuandoquiera	*whenever*	comoquiera	*however*
quienquiera	*whoever*		

Examples:

Dondequiera que tú vayas, encontrarás campesinos oprimidos.
Wherever you (may) go, you will find oppressed peasants.

Cuandoquiera que lleguen, comeremos.
We will eat whenever they arrive.

Quienquiera* que encuentre la pintura, recibirá mucho dinero.
Whoever finds the painting will receive a lot of money.

Cualquier disculpa que ofrezca, tendrá que pagar la multa.
Whatever excuse he may offer, he will have to pay the fine.

Comoquiera que lo hagan, no podrán solucionar el problema.
However they may do it, they will not be able to solve the problem.

Note that the plurals of **quienquiera** and **cualquiera** are **quienesquiera** and **cualesquiera,** respectively. **Cualquiera** drops the final **a** before any singular noun.

Cualquier cosa que diga, será la verdad.
Whatever he says, will be the truth.

2. **por** + adjective or adverb + **que** *(however, no matter how):*

Por difícil que sea, lo haré.
No matter how difficult it may be, I will do it.

Por mucho que digas, no la convencerás.
No matter how much you say, you will not convince her.

---

*__Quien__ plus the subjunctive is more common in conversation: **Quien encuentre la pintura recibirá mucho dinero.**

B. The indicative after indefinite expressions

When the expressions listed above refer to a definite time, place, condition, person or thing, or to a present or past action that is considered to be habitual, then the indicative is used.

Dondequiera que fuimos, encontramos campesinos oprimidos.
Wherever we went, we found oppressed peasants.

Cuandoquiera que nos veían, nos saludaban.
Whenever they saw us, they would greet us.

Por poco que juego al tenis, siempre gano.
No matter how little I play tennis, I always win.

EJERCICIO

Express the following in Spanish.

1. We will start to study whenever they leave.
2. No matter how tired she may be, she always wants to watch television.
3. We will find it wherever it is.
4. Whenever they received a letter from their friends, they would want to move to the city.
5. Whoever said that did not understand the lesson.
6. Whatever reason you give, we will believe (it).
7. Whichever book you select, you will find (it) interesting.
8. Alicia says that she will go wherever he goes.

Prepositions

A. Simple prepositions

a   *to, at*
ante   *in front of, before;*
  with respect to
bajo   *under*
con   *with*
contra   *against*
de   *of, from*
desde   *from, since*
durante   *during*
en   *in; on, upon*
entre   *between, among*

excepto   *except*
hacia   *toward*
hasta   *until, up to, as far as*
mediante   *by means of*
para   *for*
por   *for, through, along, by*
según   *according to*
sin   *without*
sobre   *on, over; about*
tras   *after*

El testigo tenía que aparecer ante el juez.
The witness had to appear before the judge.

Escribió novelas bajo un nombre supuesto.
He wrote novels under an assumed name.

Miró hacia el río.
He looked toward the river.

Esperaremos hasta las nueve.
We will wait until nine.

Va a dar una conferencia sobre la política latinoamericana.
He is going to give a lecture on (about) Latin American politics.

Día tras día él me decía la misma cosa.
Day after day he would tell me the same thing.

B. Uses of *a*

In addition to its use to express English *to* or *at,* and its special use before direct object nouns referring to people (see Unit 1), the preposition **a** is used:

1. to indicate the point (of time or place) toward which something is directed or at which it arrives:

    Volvieron a la choza.
    They returned to the hut.

    Fue de Nueva York a México.
    He went from New York to Mexico.

    Está a la puerta.
    She is at the door.

2. after verbs of motion (**ir, venir**) when they are followed by an infinitive or by a noun indicating destination:

    Voy a la playa.   Vino a verme.
    I'm going to the beach. *He came to see me.*

3. after verbs of beginning, learning, and teaching, when these are followed by an infinitive:

    Comenzó a trabajar.   Aprendieron a hablar
    She began to work.   francés.
                             They learned to speak
                             French.

    Empecé a buscarlos.   Me enseñó a conducir.
    I began to look for them. *He taught me to drive.*

4.   after verbs of depriving or taking away:

> Le robaron el machete al señor García.
> *They stole Mr. García's machete (from him).*
>
> Les quité los dulces a los niños.
> *I took the sweets from the children.*

5.   after the verb **jugar** when the name of a game or sport is mentioned:

> Juegan al tenis.   Jugó a las damas chinas.
> *They play tennis.*   *He played Chinese*
>   *checkers.*

6.   in combination with the definite article **el** before an infinitive to express English *on* or *upon* + present participle:

> Al salir del aula, empezaron a correr.
> *Upon leaving the classroom they began to run.*

7.   in the construction **a** + definitive article + period of time + **de** + infinitive, meaning *after:*

> A las dos semanas de estudiarlos, sabían todos los usos del subjuntivo.
> *After two weeks of studying them, they knew all the uses of the subjunctive.*

8.   to indicate manner or means (how something is made or done):

> Las hacen a mano.
> *They make them by hand.*
>
> Llegaron a pie.
> *They arrived on foot.*
>
> Cocinar a fuego lento.
> *To cook by a slow fire.*

9.   to express price or rate:

> ¿A cuánto se vende? A un dólar el metro.
> *How much does it sell for? For a dollar a meter.*
>
> A todo vapor.
> *At full steam.*

10. as an equivalent of English *on* or *in:*

a bordo del buque	a tiempo
on board the boat	*in (on) time*
a su llegada	a vista de tierra
on her arrival	*in sight of land*
al contrario	llegar a México
on the contrary	*to arrive in Mexico*

11. to express *by* or *to* in certain set expressions:

poco a poco	dos a dos
little by little	*two by two*
mano a mano	cara a cara
hand to hand	*face to face*

C. Uses of *con*

1. **Con** is used before certain nouns to form adverbial expressions of manner:

Guía con cuidado.
He drives carefully.

Comimos con frecuencia en ese café.
We ate at that café frequently.

2. **Con** expresses accompaniment:

Pedro quiere ir a la cuidad con Teresa.
Pedro wants to go to the city with Teresa.

3. It is also used to express *notwithstanding:*

Con todos sus defectos, es un tipo simpático.
Notwithstanding all his faults, he's a nice fellow.

D. Uses of *de*

De is usually translated *of* or *from*. In addition it is used as follows:

1. To show possession (English *'s*):

La finca es de Aurelio.
The farm is Aurelio's.

2. To show the material from which something is made:

> El traje es de casimir.
> *The suit is (made of) cashmere.*

3. To express cause or reason (equivalent to English of, *with, on account of*):

> Murió de cáncer.
> *He died of cancer.*
>
> Está loca de alegría.
> *She's wild with joy.*
>
> Muerto de hambre.
> *Dead with hunger.*

4. To express *in the morning*, etc., when a specific time is given:

> Empezó a las seis de la mañana (de la noche).
> *He began at six in the morning (at night).*

5. To indicate profession or occupation:

> Trabajaba de obrero.
> *He was working as a laborer.*

6. To express the function or use of an object:

> Es una máquina de escribir (de coser).
> *It is a typewriter (sewing machine).*

7. To specify condition or appearance before a noun (English *with* or *in*):

> Las montañas están cubiertas de nieve.
> *The mountains are covered with snow.*
>
> Estaba de luto.
> *She was in mourning.*

8. To indicate a distinctive characteristic:

> la chica de los ojos grandes
> *the girl with the big eyes*
>
> el hombre de la barba
> *the man with the beard*

9. To translate *in* after a superlative:

> Es el barrio más pintoresco de la cuidad.
> *It's the most picturesque neighborhood in the city.*

E. Uses of *en*

1. **En** is used to indicate mode of transportation:

    Fuimos en avión (tren).
    We went by plane (train).

2. **En** is used to denote location (the equivalent of English *at* or *in*):

    Estoy en casa (en clase, en Madrid).
    I am at home (in class, in Madrid).

    Pasaron las vacaciones en la playa (en México).
    They spent their vacation at the beach (in Mexico).

F. Compound prepositions

Following are some common compound prepositions:

a causa de *because of*	después de *after (time, order)*
a pesar de *in spite of*	
acerca de *about, concerning*	detrás de *behind, after (place)*
además de *besides, in addition to*	encima de *on top of*
al lado de *beside, alongside of*	en frente de *in front of*
	en vez de *instead of*
alrededor de *around*	frente a *opposite*
antes de *before (time)*	fuera de *outside of, away from*
cerca de *near*	
debajo de *under*	junto a *next to*
delante de *in front of, before (place)*	lejos de *far from*
	respecto a *with respect to*
dentro de *inside of*	

EJERCICIOS

A. Complete the following with the correct simple preposition.

1. Los hijos hablaron (until) _____ las once.
2. Los campesinos caminaban (toward) _____ la capital.
3. Hay muchas diferencias (between) _____ Vd. y yo.
4. Los padres están (in) _____ la cocina.

  5. (During) _____ la conversación, él me lo explicó.
  6. Sus primos son (from) _____ Sevilla.
  7. Quieren luchar (against) _____ los gobiernos corrompidos.
  8. Manuel va a venir (with) _____ los boletos.
  9. El pueblo vivía (under) _____ una dictadura.
 10. El jefe está (before) _____ sus partidarios.
 11. Tenemos que estar (at) _____ su casa (at) _____ las ocho.
 12. (According to) _____ el periódico, muchos campesinos se mudan a la ciudad.
 13. No puedo vivir (without) _____ mi mujer.
 14. Había muchos papeles (on) _____ la mesa.
 15. Tratamos de encontrarlo semana (after) _____ semana.
 16. Viven en este barrio (since) _____ febrero.

B. Complete with the correct compound preposition.

  1. (On top of) _____ la mesa había una pistola.
  2. Los obreros se sentaron (under) _____ un árbol.
  3. (Opposite) _____ la casa había una iglesia.
  4. Hay muchos árboles (around) _____ mi casa.
  5. (Outside of) _____ la ciudad viven los ricos.
  6. (Before) _____ salir, ellos querían escuchar los discos franceses.
  7. (Near) _____ la choza había un pozo seco.
  8. Queríamos estar (inside of) _____ la casa.
  9. Tenía que quedarse (behind) _____ la puerta.
 10. Compraría una casa de campo (next to) _____ la playa o (alongside of) _____ un río.
 11. (Because of) _____ su pobreza no pueden comprar un televisor.
 12. (In spite of) _____ sus dificultades, tenían esperanza.

C. Express the following in Spanish.

  1. The workers make the plates by hand.
  2. They play football almost every day.
  3. Upon entering the house, they put their packages on the table.
  4. The professor tried to explain the solution little by little.
  5. It's Mary's car, not mine.
  6. They were dying of laughter because of the incident.
  7. The young people went to the theater at nine in the evening.
  8. She used to work as a cook.
  9. The students went to the beach by car, but they returned by bus.
 10. They arrived in Chicago before ten o'clock.

Uses of *Por* and *Para*

The prepositions **por** and **para,** although similar in meaning (both often translate *for*) never are used interchangeably. Each has a variety of uses in Spanish.*

A. Uses of por

1. To translate *through, by, along,* or *around* after verbs of motion:

> Pedro entró por la puerta de su choza.
> *Pedro entered through the door of his hut.*

> Andaba por la senda junto al río.
> *He was walking along the path by the river.*

> Le gusta pasearse por la ciudad.
> *She likes to walk around the city.*

2. To express the motive or reason for a situation or an action *(because, for the sake of, on account of)*:

> No quiero que sufras por falta de trabajo.
> *I don't want you to suffer because of lack of work.*

> Lo hace por el amor a sus hijos.
> *He does it because of (out of) love of his children.*

3. To indicate lapse or duration of time *(for)*:

> Trabajó en la tierra seca por tres años.
> *He worked on the dry land for three years.*

> Irán a la ciudad por seis meses.
> *They will go to the city for six months.*

4. To indicate *in exchange for:*

> Compró el machete por veinte pesos.
> *He bought the machete for twenty pesos.*

5. To mean *for* in the sense of *in search of* after **ir, venir, llamar, mandar,** etc.:

> Fue por la partera.
> *He went for the midwife.*

---

* Note that certain verbs such as **pedir, esperar,** and **buscar** include the meaning *for* in the verb itself and therefore never require **por** or **para.**

Fueron a la librería por un libro.
They went to the bookstore for a book.

Vinieron por una vida mejor.
They came for a better life. (looking for)

6. To indicate *frequency, number, rate* or *velocity*:

Va al pueblo tres veces por semana.
He goes to town three times a week.

¿Cuánto ganas por hora?
How much do you earn per hour?

El límite de velocidad es ochenta kilómetros por hora.
The speed limit is eighty kilometers an hour.

7. To express the manner or means by which something is done *(with, by)*:

Lo vi por mis propios ojos.
I saw it with my own eyes.

Me lo quitó por la fuerza.
He took it from me by force.

Lo mandaron por correo.
They sent it by mail.

8. To express *in behalf of, in favor of, in place of*:

Trabajo por mi hermano.
I work for my brother. (in place of)

El abogado habló por su cliente.
The lawyer spoke for his client. (in behalf of)

Votará por el Sr. Sánchez.
He will vote for (in favor of) Mr. Sanchez.

9. In the passive voice construction to introduce the agent of the verb:

Los frijoles fueron preparados por su mujer.
The beans were prepared by his wife.

10. To express the idea of something yet to be finished or accomplished:

Quedan tres páginas por leer.
Three pages remain to be read.

La casa está por construir.
The house is yet to be built.

11. To translate the phrases *in the morning* (*in the afternoon*, etc.) when no specific time is given:

> Siempre doy un paseo por la tarde.
> *I always take a walk in the afternoon.*

12. In cases of *mistaken identity.*

> Me tomó por su primo.
> *He mistook me for his cousin.*

B. Uses of para

1. To indicate purpose or goal (*in order to, to, to be*):

> Es necesario estudiar para aprender.
> *It is necessary to study (in order) to learn.*
>
> Paco debe salir temprano para llegar a tiempo.
> *Paco should leave early in order to arrive on time.*
>
> Trabajará como mecánico para ganar más dinero.
> *He will work as a mechanic in order to earn more money.*

2. To express destination (*for*):

> Salen mañana para la capital.
> *They leave tomorrow for the capital.*
>
> El regalo es para mi novia.
> *The gift is for my girlfriend.*

3. To denote what something is used for or intended for (*for*):

> Compré una taza para café.
> *I bought a cup for coffee (coffee cup).*
>
> Es un estante para libros.
> *It's a bookcase.*
>
> Hay escuelas buenas para Panchito.
> *There are good schools for Panchito.*

4. To express *by* or *for* a certain time:

> Hará unos vestidos para el verano.
> *She will make some dresses for summer.*
>
> Los hará para el día jueves.
> *She will make them by Thursday.*
>
> Esta lección es para mañana.
> *This lesson is for tomorrow.*

5.   To indicate *for* in the sense of *considering:*

Para una chica de seis años, toca bien el piano.
For a girl of six, she plays the piano well.

6.   With the verb **estar** to express something that is about to happen:

La clase está para empezar.
The class is about to begin.

EJERCICIOS

A.   Complete with **por** or **para** as required.

1.   Ana estudia _____ maestra.
2.   Hemos estado en este barrio _____ dos días.
3.   _____ llegar al taller es necesario pasar _____ el parque.
4.   Las casa fue construida _____ su abuelo.
5.   Hay que terminar la tarea _____ las nueve de la noche.
6.   Ya es tarde y los obreros están _____ salir de la fábrica.
7.   Fueron a la cafetería _____ comer.
8.   Tengo un cuaderno _____ mis notas.
9.   _____ un chico que habla tanto, no dice mucho de importancia.
10.   Nuestros amigos quieren ir al teatro. Nosotros estamos _____ ir también.
11.   Estas uvas son _____ ti.
12.   Se cayeron _____ no tener cuidado.
13.   Debe dejar el coche en el garaje _____ una semana.
14.   Recibí las noticias _____ telegrama.
15.   No hay bastante tiempo _____ terminar el trabajo.
16.   Lo hice _____ el jefe porque él no podía venir.
17.   La choza todavía está _____ construir.
18.   No puedo encontrar nada _____ aquí.
19.   Nos tomaron _____ españoles pero somos de Italia.
20.   Salieron de casa _____ la noche.

B.   Express the following in Spanish.

1.   They are going to stay for two more hours in order to hear the lecture.
2.   He bought it for five thousand pesos; it's a gift for his daughter.
3.   They are in favor of doing the work in the factory if there is enough time to finish it.
4.   We traveled along the coast; we passed through many pretty towns.
5.   The girl's parents sent him for the doctor.
6.   For a rich man he lives very simply.
7.   The book about Mexican writers is yet to be written.
8.   They are about to leave; they have to be there by two.

Prepositional Object Pronouns

1. The prepositional object pronouns are used as objects of a preposition. They have the same forms as the subject pronouns with the exception of **mí, ti** and **sí:**

mí	*me*	**nosotros**	*us*
ti	*you*	**vosotros**	*you*
Vd.	*you*	**Vds.**	*you*
él	*him, it*	**ellos**	*them*
ella	*her, it*	**ellas**	*them*
sí	*yourself, himself, herself, oneself*	**sí**	*yourselves, themselves*

NOTE: After prepositions, *himself, herself, itself* and *themselves* are usually expressed by **sí:**

Pedro trabaja para sí.
Pedro works for himself.

2. The common prepositions followed by the prepositional pronouns are:

a	*to*	**desde**	*since*	**por**	*for, instead of*
ante	*in front of*	**en**	*in, on*	**sin**	*without*
contra	*against*	**hacia**	*toward*	**sobre**	*on, over*
de	*of, from*	**hasta**	*until*	**tras**	*behind*
		para	*for*		

A mí no me gusta ver televisión.
I don't like to watch television.

Habrá diversiones para ti.
There will be entertainment for you.

No puede vivir sin ella.
He cannot live without her.

3. The third person singular and plural forms may refer to things as well as to people.

No puedo estudiar sin ellos. (libros)
I can't study without them.

4. When **mi** and **ti** follow the preposition **con,** they have the special forms **conmigo** and **contigo.** The reflexive prepositional pronoun **sí** becomes **consigo** after **con.**

¿Vas conmigo o con ellos?
Are you going with me or with them?

Los abogados llevaron los papeles consigo.
The lawyers took the papers with them.

5. After the words **como, entre, excepto, incluso, menos, salvo,** and **según,** subject pronouns rather than prepositional pronouns are required in Spanish.

> Hay mucho cariño entre tú y yo.
> *There is a great deal of affection between you and me.*
>
> Quiero hacerlo como tú.
> *I want to do it like you.*

6. The neuter prepositional pronoun **ello** is used to refer to a previously mentioned idea or situation.

> Estoy harto de ello.
> *I am fed up with it.*
>
> No veo nada malo en ello.
> *I don't see anything bad about it.*

7. **Mismo** may be added after any of the prepositional object pronouns in order to intensify a reflexive meaning. In these constructions **mismo** agrees in gender and number with the subject.

> Ellos quieren hacerlo para sí mismos.
> *They want to do it for themselves.*

EJERCICIOS

A. Answer the following questions according to the cues, using the correct forms of the prepositional pronouns.

1. ¿Para quién(-es) son los regalos? (me / you / him / them / us / her / you *pl.*)
2. ¿Con quién(-es) han discutido el problema? (you / me / her / them / you *pl.* / him)
3. ¿Contra quién(-es) están todos? (them / you / me / you *pl.* / him / us / her)

B. Express the following in Spanish.

1. The children are going with me to the city.
2. We can't leave without them.
3. He wants to dance with you.
4. According to them, they sold their land.
5. The teachers are always talking about us.
6. The workers are coming toward us.
7. Between you and me, I don't believe there are many differences.
8. The tickets are for her.
9. You can't buy anything with it (dinero).
10. Let's go with them.

REPASO

I. Translation and substitution.

    1.   Quería una casa que estuviera en la playa.
        I was looking for a house that was on the beach.
        I bought a house that was on the beach.
        I needed a house that was on the beach.
        I found a house that was on the beach.
        I lived in a house that was on the beach.
    2.   Quiero un ayudante que sea inteligente.
        I have an assistant who is intelligent.
        I am looking for an assistant who is intelligent.
        I need an assistant who is intelligent.
        I prefer an assistant who is intelligent.
        I insist on having an assistant who is intelligent.
    3.   No hay nada que él pueda hacer.
        There is something that he can do.
        There is no one who can do it.
        There is someone who can do it.
        There is no man who can do it.
        There is a person who can do it.

II. **Intercambios.** Ask a classmate which of the following he or she prefers. Use the adjective clause with subjunctive construction in both the question and answer.

MODELO: ¿Qué prefieres . . ., comprar una casa que sea grande o pequeña?
              Prefiero comprar una casa que sea grande.

¿Qué prefieres. . . .

    1.   to live in a city that is large or small?
    2.   to marry a man (woman) that has a lot of money or that has little money?
    3.   to buy a house that is in the city or in the country?
    4.   to meet a person that lives in Mexico or in Spain?
    5.   to find a car that costs a lot or a little?
    6.   to have a friend that knows how to dance or play tennis?
    7.   to live with a person that works all of the time or sleeps all of the time?
    8.   to read a novel that is romantic or historical?

III. **Composición.** Write a composition discussing what you feel should be the political, economic and cultural relationship of the United States with Latin America.

A conversar

A. Diálogo

Discutan Vds. los puntos de vista que expresan los personajes del siguiente diálogo.

LUISA   ¿Por quién vas a votar en las elecciones?

MARIO   No estoy seguro. Cada candidato tiene sus atractivos. ¿Y tú?

LUISA   Para mí el joven liberal tiene mejores ideas.

MARIO   ¿Qué ideas, por ejemplo?

LUISA   Bueno, quiere ayudar a los pobres. Propone una reforma económica.

MARIO   Esas reformas son peligrosas. Necesitamos reformas que no destruyan la economía del país.

LUISA   Cualquiera que pueda sugerir tendrá algunas desventajas para los ricos.

MARIO   ¿Crees, entonces, que los pobres tienen derecho a vivir del trabajo de los demás?

LUISA   Todos tienen derecho a vivir. Si no pueden trabajar, no los podemos condenar a morirse de hambre.

MARIO   Pero así se les quita la iniciativa.

LUISA   Al contrario, es la falta de esperanza lo que les quita la iniciativa, ¿no crees?

B. Discusión: Los problemas contemporáneos

Contesten Vds. las siguientes preguntas y expliquen sus respuestas.

1. ¿Cuál es el problema más grave con que nos enfrentamos en los Estados Unidos?
    a. el crimen
    b. la inflación
    c. el desempleo
2. ¿Cuál de los siguientes es el problema más grave con que vamos a enfrentarnos en el futuro?
    a. el exceso de población
    b. la contaminación del agua y del aire
    c. la pobreza
3. Si Vd. fuera presidente, ¿a cuál de los siguientes daría Vd. prioridad?
    a. la defensa del país
    b. los programas anti-pobreza
    c. la ayuda económica para las ciudades

4. ¿En cuál de los siguientes programas debe gastar más dinero el gobierno?
   a. una cura para el cáncer
   b. la eliminación de los barrios pobres
   c. empleos para los desocupados

5. ¿Quién es más responsable por el bienestar económico?
   a. el gobierno
   b. los industriales
   c. el individuo

6. Si fuera necesario que el gobierno federal gastara menos, ¿qué gastos podría eliminar?
   a. el apoyo económico para los países extranjeros
   b. los fondos para la educación
   c. los gastos para la defensa nacional

7. ¿Cuál es la causa principal del crimen?
   a. la falta de oportunidades económicas
   b. la disolución de la familia
   c. los prejuicios raciales

C. Temas de conversación

Con dos compañeros de clase, prepare Vd. un diálogo sobre el tema del crimen. Uno de Vds. es candidato a la presidencia; los otros dos son periodistas que van a hacerle preguntas sobre los siguientes temas:

1. Su actitud hacia los prejuicios raciales, religiosos y sexuales, y la posible relación entre tales actitudes y el crimen.
2. El papel de la pobreza como causa del crimen.
3. Otros factores que pueden conducir al crimen.
4. Lo que puede hacer el gobierno para reducir el número de crímenes.
5. Lo que deben hacer la industria y el individuo.

Los movimientos revolucionarios del siglo XX

8

(En la mansión de los Hernández Arias. Gonzalo, el padre, ve entrar a su hijo Emilio.)

GONZALO — Hola, hijo. ¿Viste el periódico? Secuestraron al señor González[1] y exigen un rescate de dos millones de pesos por su vida.

EMILIO — ¡Uy! ¿Quién pagaría eso? El viejo no vale ni la décima parte.

GONZALO — ¡Emilio! No bromees—esto de los secuestros es muy serio. Mañana voy a contratar un pistolero para que me proteja.

EMILIO — ¿Y cómo vas a asegurarte de que no sea espía? Mientras estén por todas partes esos guerrilleros . . .

GONZALO — ¡Esto es el colmo! La policía tiene que hacer algo antes de que caiga el gobierno. Estas amenazas al orden legal[2] tienen que ser suprimidas. Mañana en cuanto llegue a la oficina hablaré con el presidente.

EMILIO — Cálmate, viejo, cálmate. No hay nada que puedas hacer. El orden legal sólo sirve a los poderosos.

GONZALO — ¿Pero, y yo? Comencé así, sin nada. Lo que tengo lo gané por mi propio sudor.

EMILIO — Y el sudor de los obreros de tus fábricas. Además, tenías una ventaja grande: una falta de escrúpulos que te permitía sobrevivir.

GONZALO — No permito que me hables así. ¡Es una falta de respeto que no aguanto! Y tú, veo que no desprecias los automóviles del año, aquellas vacaciones en Europa el año pasado, los trajes de casimir. Cuando yo me muera lo tendrás todo.

EMILIO — Sí, tienes razón, papá, pero todo aquello ya pasó. Así me enseñaste, no conocía otra vida. En cuanto me di cuenta, me sentí terriblemente avergonzado.

GONZALO — ¡Pero qué ideas! ¡Yo no te enseñé a ser holgazán! Bueno, ya que te has arrepentido, debes aprender algo que te sirva en el futuro.

EMILIO — Ya lo he hecho, papá. Voy a buscar una vida que me dé alguna esperanza. En cuanto me despida de ti me voy a juntar a las fuerzas de liberación[3] en las montañas.

GONZALO — ¿Cómo? Pero, ¿es posible? ¿dejas todo esto para vivir con ese grupo de bandidos? ¿Estás loco? ¿Quieres matar a tu mamá?

EMILIO — Bandidos, no, papá. ¡La ola del futuro! Estamos en el amanecer de un nuevo orden. Después que venzamos, habrá justicia, igualdad, solidaridad humana. No habrá resistencia que valga para impedir este movimiento. ¡Venceremos!

GONZALO — Pero, hijo. ¿Cómo te atreves? ¡Es una locura! Te arrepentirás.

EMILIO   Me voy, papá, me están esperando con el viejo González. Adiós.

GONZALO   ¿González? ¡Por Dios! ¡No puede ser! Espera, Emilio. No te vayas. ¡Emilio! ¡No le hagan daño a González! ¡Emilio!

CRIADO   Señor, ¡despiértese, despiértese! Habrá sido una pesadilla. ¿Qué pasó? Llamaba a Emilio. Él no ha llegado todavía de la primaria—el chofer fue a recogerlo.

GONZALO   ¡Puf! ¡Qué alivio! Soñaba que habían secuestrado al señor González.

CRIADO   Pero, señor, aquello pasó anoche. Hoy lo encontraron muerto, el pobre.

EMILIO   ¡Hola papá! ¿Oíste lo del señor González?

NOTAS CULTURALES

1. **Secuestraron al señor González:** El secuestro político es uno de los métodos que usan los guerrilleros hoy día. Por lo general la víctima es alguien de suficiente importancia para que el secuestro cause gran escándalo. El rescate muchas veces consiste en dinero, comida o facilidades médicas para los pobres. Así los guerrilleros ganan cierto apoyo popular. Debido a esta amenaza, muchas personas importantes emplean guardias personales.

2. **Estas amenazas al orden legal:** Muchas veces la falta de orden civil causada por los guerrilleros provoca la caída de los gobiernos débiles o inestables.

3. **Me voy a juntar a las fuerzas de liberación:** A veces los hijos de las familias más ricas son los más rebeldes. Es posible que resulte de un sentimiento de enajenación producido por su vida o de un sentimiento de culpa por lo que tienen, frente a la gran pobreza que los rodea.

VOCABULARIO

alivio relief
amanecer *m* dawn
amenaza threat
apoyo support
arrepentirse to repent
asegurarse to assure
avergonzado,-a ashamed
bromear to joke, kid

casimir *m* cashmere
colmo limit
contratar to hire
culpa guilt, blame
décima tenth
despreciar to scorn
enajenación alienation
espía *m or f* spy

exigir   to demand
fábrica   factory
guerrillero   guerrilla fighter
holgazán,-na   loafer, idler
juntar   to join
ola   wave
pesadilla   nightmare
pistolero   gunman, armed
   guard

primaria   elementary school
rescate *m* ransom
rodear   to surround
secuestrar   to kidnap
secuestro   kidnapping
sudor *m* sweat
suprimir   to suppress
vencer   to win

en cuanto   as soon as
esto es el colmo   this is the limit
hacerle daño   to harm, hurt

Preguntas

1. ¿Qué le ha pasado al señor González?   2. ¿Qué rescate exigen?   3. ¿Para qué quiere un pistolero el señor Hernández?   4. ¿Con quién va a hablar mañana?   5. ¿Según Emilio, ¿a quién sirve el orden legal?   6. ¿Cómo consiguió el señor Hernández su dinero?   7. ¿Qué tipo de vida ha tenido Emilio?   8. ¿Por qué se siente avergonzado Emilio?   9. ¿Qué va a hacer ahora?   10. ¿Quién despierta al señor Hernández?   11. ¿Era cierto lo que había soñado él?   12. ¿Qué edad tiene Emilio?   13. ¿Cuál fue el resultado verdadero del secuestro?

Preguntas Personales

1. ¿Cree Vd. que los secuestros ayudan o hacen daño a la causa de los rebeldes?   2. En su opinión, ¿cuáles son las injusticias sociales que existen y que provocan revoluciones?   3. ¿Cree Vd. que es posible resolver los problemas políticos y sociales sin revoluciones violentas? ¿Por qué?   4. Según Vd., ¿Cómo se pueden resolver los problemas mundiales?   5. ¿Tiene Vd. una actitud optimista o pesimista en cuanto al futuro del mundo? ¿Por qué?

Gramática

The Subjunctive in Adverbial Clauses (1)

A. Adverbial clauses

An adverbial clause is a dependent clause that modifies the verb of the main clause, and as an adverb expresses time, manner, place, purpose, or concession. An adverbial clause is introduced by a conjunction.

ADVERBIAL CLAUSE DENOTING TIME:

El padre hablará con su hijo tan pronto como llegue a casa.
The father will speak with his son as soon as he arrives home.

ADVERBIAL CLAUSE DENOTING MANNER:

Salió sin que nosotros lo viéramos.
He left without our seeing him.

ADVERBIAL CLAUSE DENOTING PLACE:

Nos encontraremos donde tú quieras.
We will meet wherever you wish.

ADVERBIAL CLAUSE DENOTING PURPOSE:

Fueron a la oficina para que ella pudiera hablar con el jefe.
They went to the office so that she could speak with the boss.

ADVERBIAL CLAUSE DENOTING CONCESSION:

Debes ir a la clínica aunque no quieras.
You should go to the clinic even though you don't want to.

In this unit adverbial clauses introduced by conjunctions of time are discussed.

B. Subjunctive and indicative in adverbial time clauses

1.   The subjunctive is used in adverbial time clauses when the time referred to in the clause is future with respect to the time in the main clause or when there is uncertainty or doubt. The following conjunctions regularly introduce such adverbial clauses:

antes (de) que* *before*	hasta que *until*
cuando *when*	mientras (que) *while*
después (de) que *after*	para cuando *by the time*
en cuanto *as soon as*	tan pronto como *as soon as*

---

* **Antes (de) que** is always followed by the subjunctive because its meaning *(before)* assures that the action in the adverbial clause is future with respect to that of the main clause.

EXAMPLES:

Van a discutirlo antes de que él salga.
They are going to discuss it before he leaves.

Cuando me muera lo tendrás todo.
When I die you will have everything.

Después que venzamos, habrá justicia.
After we win there will be justice.

Lo haremos en cuanto llegue ella.
We'll do it as soon as she arrives.

Los secuestros van a continuar hasta que la policía haga algo.
*The kidnappings are going to continue until the police do
    something.*

Hablaré con los periodistas mientras estén en la oficina.
I will speak with the journalists while they are in the office.

Habrá salido para cuando su hija se despierte.
He will have left by the time his daughter wakes up.

Dijo que me llamaría cuando él llegara.
He said he would call me when he arrived.

Me avisó que lo haría en cuanto pudiera.
He advised me that he'd do it as soon as he could.

2. If the adverbial time clause refers to a fact or a definite event
   or to something that has already occurred, is presently occur-
   ring, or usually occurs, then the indicative is used. The present
   indicative or one of the past indicative tenses usually appears
   in the main clause.

Salieron después de que yo entré.
They left after I entered.

Lee una revista mientras que toma el desayuno.
He is reading a magazine while he eats breakfast.

Siempre compraba un periódico cuando iba al quiosco.
*He always used to buy a newspaper when he went to the
    newsstand.*

EJERCICIOS

A. Complete with the correct form of the verb in parentheses.

1. Emilio ya estará en casa cuando su papá (despertarse) _____ .
2. Emilio ya estaba en casa cuando su papá (despertarse) _____ .
3. Van a leer el artículo después de que (comprar) _____ el
   periódico.

4. Leyeron el artículo después de que (comprar) _____ el periódico.
5. Él mencionará el secuestro mientras que (hablar) _____ con su tío.
6. Él mencionó el secuestro mientras que (hablar) _____ con su tío.
7. Su papá dormirá hasta que el criado (entrar) _____ en la sala.
8. Su papá durmió hasta que el criado (entrar) _____ en la sala.
9. Ellos hablarán con el jefe tan pronto como él (llegar) _____ a la oficina.
10. Ellos hablaron con el jefe tan pronto como él (llegar) _____ a la oficina.
11. Los obreros van a formar un comité en cuanto ellos (encontrar) _____ un líder.
12. Los obreros formaron un comité en cuanto ellos (encontrar) _____ un líder.

B. Substitute the word(s) in parentheses for the italicized verb in the main clause. Restate the sentence making all necessary changes.

1. Emilio no *dice* nada cuando su padre entra. (dirá)
2. En cuanto habla su padre, él no *escucha* más. (escuchará)
3. El criado siempre *se queda* en el cuarto hasta que él se duerme. (se quedará)
4. Ellos *hablan* con su profesor después de que entra en la clase. (hablarán)
5. La revolución *sale* bien mientras tiene la ayuda de los campesinos. (saldrá)
6. Él lo *buscó* hasta que lo encontró. (iba a buscar)
7. Tan pronto como llegó su hijo, *discutieron* los secuestros. (discutirán)
8. Ella *había salido* cuando nosotras llegamos. (habrá salido)

C. Express the following in Spanish.

1. We are going to leave before they arrive.
2. She read the article before we left.
3. I was going to give him the newspaper as soon as he came.
4. He read until they went to sleep.
5. They were going to discuss the problem as soon as he arrived at the office.
6. They will not be here by the time she calls.
7. They always become angry when they discuss politics.
8. She is going to study while she is waiting for him.
9. His father is going to send him to Spain after he has completed his studies here.
10. The servant said that he would tell him the truth when he woke up.

Demonstrative Adjectives and Pronouns

A. Demonstrative adjectives

1.   The demonstrative adjectives in Spanish are **este** *(this)*, **ese** *(that)*, and **aquel** *(that)*. **Este** refers to something near the speaker; **ese** refers to something near the person being addressed; and **aquel** refers to something which is distant or remote from both the speaker and the person addressed.

> Voy a comprar este abrigo.
> *I am going to buy this coat.*
>
> Tomemos ese taxi.
> *Let's take that taxi.*
>
> Prefiero aquel hotel allí.
> *I prefer that hotel over there.*

2.   Demonstrative adjectives agree in gender and number with the nouns they modify. The forms are:

este	**esta**	*this*	**estos**	**estas**	*these*
ese	**esa**	*that (near you)*	**esos**	**esas**	*those (near you)*
aquel	**aquella**	*that (over there)*	**aquellos**	**aquellas**	*those (over there)*

3.   Although demonstrative adjectives usually precede the noun, they may also follow, in which case a definite article precedes the noun:

> El chico este es muy travieso.
> *This boy is very mischievous.*

B. Demonstrative pronouns

1.   The demonstrative pronouns are identical in form to the demonstrative adjectives, except that the pronouns have a written accent: **éste** (**-a, -os, -as**); **ése** (**-a, -os, -as**); **aquél** (**-lla, -llos, -llas**). They agree in gender and number with the noun they replace.

> Este periódico es mejor que ése.
> *This newspaper is better than that one (near you).*

Estos hombres son más simpáticos que aquéllos.
These men are nicer than those (over there).

Note that demonstrative adjectives and pronouns are frequently used in the same sentence, and that the singular forms of the pronouns usually mean *this one* or *that one*.

2. The **éste** and **aquél** forms are regularly used to express *the latter* **(éste)** and *the former* **(aquél).**

Raúl y Tomás son ciudadanos de México; éste es de Guadalajara y aquél es de Puebla.
Raul and Thomas are citizens of Mexico; the latter is from Guadalajara and the former is from Puebla.

C. Neuter demonstratives

The neuter demonstrative pronouns **esto, eso,** and **aquello** are used to refer to abstract ideas, situations, or unidentified objects. These forms have no accents.

No creo eso.
I don't believe that (what you just said).

¿Oíste aquello? ¿Qué será?
Did you hear that? I wonder what it is.

¿Qué es esto?
What is this?

EJERCICIOS

A. Complete with the correct form of the demonstrative adjective or pronoun.

1. (These) _____ amenazas tienen que ser suprimidas.
2. (This) _____ hombre es más rico que (that one) _____ .
3. (These) _____ fábricas son más grandes que (those over there) _____ .
4. En (those) _____ tiempos los obreros no vivían de (this) _____ manera.
5. No queremos ver (this) _____ película, sino (that one) _____ .
6. Me gusta (this) _____ vida más que la vida de la ciudad.
7. A mí no me gustan (these) _____ vestidos; prefiero (those) _____ allí.
8. ¿Qué es (that) _____ que tú tienes en la mano?

B. Express the following in Spanish.

1. This land belongs to Pedro and his wife.
2. This is what I want!
3. Felipe and Tomás are brothers; the latter is a lawyer, the former is a policeman.
4. That boy (near you) is don Gonzalo's son.
5. Which is your car, this one or that one (over there) on the other side of the street?
6. My father thinks that these problems are very serious but that those are worse.
7. This idea is stupid, but that one (you have) is crazy.
8. I don't understand that (what you said).

The Reciprocal Construction

1. The reflexive pronouns **nos** and **se** are used to express a reciprocal or mutual action. When used in this manner, they convey the meaning of *each other* or *one another.*

> Nos escribimos todos los días.
> *We write one another every day.*
>
> No se entienden.
> *They do not understand each other.*

2. Occasionally it is necessary to clarify that this construction has a reciprocal rather than a reflexive meaning. This is done by using an appropriate form of **uno . . . otro** (**uno a otro, la una a la otra, los unos a los otros,** etc.).

> Nosotros nos engañamos.
> *We deceived ourselves.*
>
> Nosotros nos engañamos el uno al otro.
> *We deceived each other.*
>
> Ellos se mataron.
> *They killed themselves.*
>
> Ellos se mataron los unos a los otros.
> *They killed one another.*

3. When *each other* (or *one another*) is the object of a preposition, the reflexive pronoun is not used unless the verb is reflexive to begin with. Instead, the **uno . . . otro** formula is used with the appropriate preposition.

> Suelen hablar bien el uno del otro.
> *They generally speak well of each other.*
>
> Los vi pelear los unos contra los otros.
> *I saw them fighting (against) each other.*
>
> BUT:
>
> Se quejaron los unos de los otros.
> *They complained about each other.*

EJERCICIOS

A. Answer the questions in the affirmative.

1. ¿Se ayudan siempre los obreros?
2. ¿Nos encontraremos en el café esta tarde?
3. ¿Se han escrito Vds. con frecuencia?
4. ¿Se conocieron Vds. hace mucho tiempo?
5. ¿Nos vemos los sábados en el supermercado?

B. Express the following in Spanish, using the **uno a otro** construction only when necessary.

1. They saw each other at the factory.
2. We talked with each other at the wake. (2 people)
3. María and Carlos write to each other every week.
4. The girls looked at each other with surprise.
5. My friend and I always give each other gifts.
6. They help each other with the lesson.
7. We woke up at eight.
8. We woke each other up at ten.

The Reflexive for Unplanned Occurrences

An additional use of the reflexive pronoun **se** is to relate an accidental or unplanned occurrence. In these reflexive constructions an indirect object noun or pronoun is added to refer to the person involved in the occurrence, and the verb agrees in number with the noun that follows it. This construction also removes the element of blame from the person performing the action.

Se me olvidó el dinero.
I forgot the money. (The money got forgotten to me.)

Se nos perdieron los periódicos.
We lost the newspapers. (The newspapers got lost on us.)

A Pedro se le rompió el machete.
Pedro broke the machete. (The machete got broken on Pedro.)

EJERCICIOS

A. Change the statements to a reflexive **se** construction in order to indicate an unplanned occurrence.

MODELO: Alicia olvidó los libros.
A Alicia se le olvidaron los libros.

1. Los chicos rompieron los platos.
2. Perdimos el dinero.
3. Olvidaste el periódico.
4. Tengo una idea. (Use **ocurrir** in the answer.)
5. El chico rompió el disco.
6. Olvidamos los boletos.

B. Express the following in two ways.

1. He forgot the tickets.
2. I broke the mirror.
3. They lost the money.
4. You broke the plates.
5. She has an idea.

C. Ask questions in Spanish that correspond to the following answers.

1. Sí, se me olvidó el dinero.
2. Sí, se me olvidaron los boletos.
3. Sí, se les olvidaron los libros.
4. Sí, se nos perdió el mapa.
5. Sí, se nos perdieron las llaves.

REPASO

I. Read the model sentence. Then express the sentences following it in Spanish.

    1. Él me llama cuando viene a la ciudad.
        He will call me when he comes to the city.
        He called me when he came to the city.
        He said that he would call me when he came to the city.
    2. Ellos lo discuten hasta que lo resuelven.
        They will discuss it until they solve it.
        They discussed it until they solved it.
        They said that they would discuss it until they solved it.
    3. Mi padre lo lee antes de que yo llegue.
        My father will read it before I arrive.
        My father read it before I arrived.
        My father said that he would read it before I arrived.

II. Fill in the blanks with the correct demonstrative pronoun or adjective.

    1. (This) _____ clase es más interesante que (that one) _____ .
    2. (These) _____ estudiantes estudian más que (those) _____ .
    3. Quiero comprar unos libros. Me gustan (this one) _____ y (that one) _____ .
    4. No puedo creer (that) _____ .
    5. ¿Qué es (this) _____ ?
    6. (These) _____ ruinas son magníficas. (Those) _____ son menos impresionantes.
    7. (That) _____ profesor siempre hace (these) _____ mismas preguntas.
    8. Emilio vive en (that) _____ mansión. Yo vivo en (this one) _____ .

III. **Intercambios.** Ask your classmate the following questions.

    1. ¿Me comprarás una taza de café cuando tengas tiempo?
    2. ¿Me ayudarás hasta que yo aprenda la lección?
    3. ¿Me darás todo tu dinero tan pronto como llegues a clase mañana?
    4. ¿Me llevarás al baile después de que comamos en un buen restaurante esta noche?
    5. ¿Contestarás todas las preguntas antes de que salgas hoy?
    6. ¿Te callarás en cuanto yo te diga las respuestas?
    7. ¿Me escribirás una carta cuando estés de vacaciones?
    8. ¿Siempre me hablarás en español dondequiera que tú me veas?

IV. **Composición.** Write a composition about your impression of the political, economic, and social conditions in Latin America, based on what you have read in this text or elsewhere.

A conversar

A. Diálogo

Discutan Vds. el siguiente diálogo.

ANDRÉS   ¿Vas para casa, Mauricio? Camino contigo. Necesitamos hablar.

MAURICIO   Sí, claro. ¿Hay alguna novedad?

ANDRÉS   Pues, te quería hablar de la falta de seguridad en nuestro barrio.

MAURICIO   Es un problema grave, ¿no? Uno no puede salir de noche.

ANDRÉS   ¿Salir? Anoche les robaron a los García en su propia casa.

MAURICIO   ¡No me digas! ¡Esto es el colmo! ¿Qué haremos?

ANDRÉS   Ya hemos hablado con las autoridades. No van a hacer nada hasta que haya una muerte u otra tragedia.

MAURICIO   Tenemos que hacer algo antes de que eso acontezca.

ANDRÉS   ¿Qué te parece si formamos una guardia de vecinos aquí en el barrio?

MAURICIO   No sé. Eso es muy serio. Sería peligroso.

ANDRÉS   No vacilarías si atacaran a los tuyos, ¿verdad?

B. Actividad

Al comentar un problema, cedemos a veces a la tentación de expresarnos en términos absolutos (blanco-negro) en vez de reconocer todas las posiciones posibles frente al problema. Sin embargo, sabemos que es posible tomar una posición conservadora, moderada, liberal, radical o revolucionaria frente a muchos problemas. Veamos un ejemplo:

Problema: el control de la natalidad (*birth rate*)

Posición conservadora: El gobierno no debe hacer nada para controlar el número de nacimientos; es una cuestión individual.

Posición moderada: El gobierno puede educar a los ciudadanos, pero no debe tratar de establecer leyes para controlar la natalidad.

Posición liberal: El gobierno debe promulgar ciertas leyes que fomenten el uso de los métodos artificiales para controlar la natalidad.

Posición radical: El gobierno tiene el derecho de esterilizar a toda pareja que tenga más de dos hijos.

Posición revolucionaria: Primero es necesario cambiar completamente el sistema de gobierno; entonces los nuevos gobernantes prodrán establecer leyes sobre el asunto como mejor les parezca.

Dividan Vds. a la clase en grupos de cinco. Identifiquen Vds. las posiciónes: conservadoras, moderadas, liberales, radicales y revolucionarias frente a los siguientes problemas:

1. La distribución de la riqueza en los Estados Unidos.
2. El uso de las drogas.
3. El control de las grandes industrias multinacionales.
4. La libertad de prensa.

Después, presenten Vds. oralmente las posiciones. Comparen Vds. sus opiniones con las de los otros grupos.

9

La educación en el mundo hispánico

(*Los alumnos del Colegio San Martín[1] esperan la llegada del profesor de historia.*)

PACO	Oye, Beto, ¿has preparado la lección para hoy?
BETO	Muy poco. Iba a estudiar pero llegaron unos amigos y nos fuimos a «La Gitana» para hojear el nuevo número de «Superhombre».
PACO	¿Y tú, Manolo?
MANOLO	Sí, leí el capítulo dos veces e hice un esquema de las fechas.
PACO	Pues, mi padre me mandó a la tienda por tabaco y me quedé ahí a charlar con Tonia para ver si quería ir al cine el domingo. Al volver no tuve tiempo de estudiar. ¿Me puedes hacer un resumen del capítulo para que sepa responder si el maestro me hace una pregunta?
MANOLO	Cuando te haga una pregunta, te paso la respuesta. ¿Vale?
PACO	Ah, este Manolo, siempre lo sabe todo. ¿Por qué estudias tanto?
MANOLO	Lo hago para poder entrar en la Facultad de Medicina.[2] Papá se muere por verme médico. Si no salgo bien en los exámenes este año, temo que me eche de casa. ¿No piensas entrar en una universidad?
PACO	Sí, pero en Comercio, para que pueda trabajar con el viejo en su fábrica. Pero, ¿para qué tanta prisa? Si no apruebas este año[3] será el otro. Aquí uno se divierte más—allá en la «uni» la cosa se pone seria.
BETO	Es lo que digo yo. Ya llevo siete años aquí. Hasta el portero sabe mi nombre.
PROFESOR	(*Entrando*) Buenos días, jóvenes. El tema de esta semana es la Primera Guerra Mundial.
PACO	Pssst, Manolo, ¿ganamos esa guerra?
MANOLO	Cállate, idiota, fue una guerra europea.
PROFESOR	Primero vamos a hablar de las causas inmediatas de aquella gran tormenta que sacudió el mundo . . .
PACO	Beto, mira a Nacho—ya se durmió.
PROFESOR	En 1914 la guerra fue declarada por Alemania . . .
PACO	¿Para qué quiero yo saber estas cosas? Superhombre es más interesante.
MANOLO	No seas bruto. No te gradúas sin que lo sepas, a menos que te hagan preguntas sobre Superhombre en los exámenes.
PROFESOR	Cuando en 1915 fue atacado el navío Lusitania . . .
PACO	Oye, Beto, ¿quieres ver este número? Superhombre se encuentra en una batalla en Verdún. No sé dónde queda eso pero . . .

PROFESOR   Si no dejas de cuchichear, Paco, serás expulsado de la clase. ¿Entiendes?

PACO   Ah, sí, perdone. Beto y yo estábamos comentando un libro que leí recientemente sobre ese mismo asunto de la guerra. Se lo recomendaba a Beto.

PROFESOR   Bueno, después de que terminemos aquí, te quiero ver en mi oficina. Con tal que me des un informe completo sobre ese libro, te perdono.

PACO   Pero Profesor, tengo sólo unos quince minutos antes de la próxima clase. Manolo, ¿qué hago ahora? ¡Sí que estoy perdido!

NOTAS CULTURALES

1. **Colegio San Martín:**   El colegio más o menos equivale a la escuela secundaria en los Estados Unidos. El alumno termina el «Bachillerato» cuando tiene unos 16 o 17 años. Por lo general, es necesario seguir un curso preparatorio antes de entrar en la universidad.

2. **Facultad de Medicina:**   En el sistema hispánico, que tiene por modelo el europeo, uno entra directamente en la escuela profesional (por ejemplo, Medicina), donde se recibe toda la instrucción a nivel universitario. La Facultad de Filosofía y Letras, que equivale más o menos a *Liberal Arts* se dedica a las humanidades y a preparar maestros. «Facultad» significa lo mismo que *college* or *school* en las universidades norteamericanas.

3. **si no apruebas este año:**   El sistema hispánico requiere que el alumno apruebe varias materias (requisitos) por medio de los exámenes finales—por lo general, exámenes orales y escritos. El alumno repite las materias hasta aprobarlas.

VOCABULARIO

aprobar   to pass (exams)
Bachillerato   course of study leading to a secondary school degree
bruto,-a   idiot, dolt
colegio   secondary school
Comercio   Business School
cuchichear   to whisper
esquema *m*   outline
expulsar   to expel

facultad   faculty, school (of a university)
graduarse   to graduate
hojear   to leaf through (book, magazine)
materia   academic subject
navío   ship
nivel *m*   level
número   issue, copy
portero   doorman

prisa   haste, hurry   **sacudir**   to shake
resumen *m* summary   **tormenta**   storm, upheavel

          a menos que   unless
          con tal que   provided that
          morirse por   to be dying to
          Primera Guerra Mundial   World War I
          ¿vale?   O.K.?

Preguntas

1. ¿Por qué no ha estudiado Beto la lección?   2. ¿Quién ha estudiado más?   3. ¿Para qué quiere Paco un resumen del capítulo?   4. ¿Por qué estudia tanto Manolo?   5. ¿En qué facultad va a entrar Paco?   6. ¿Cuánto tiempo lleva Beto en el colegio?   7. ¿Por qué se enoja el profesor?   8. ¿Sobre qué hablaban Paco y Beto?   9. ¿Para qué tiene Paco que ir a la oficina del maestro?   10. ¿Qué le dice Paco al profesor para no tener que ir a su oficina?

Preguntas Personales

1. ¿A Vd. le gusta estudiar la historia europea?   2. ¿Para qué estudia Vd.?   3. ¿Cuál es su materia favorita?   4. ¿Piensa Vd. que las escuelas secundarias preparan bien a los jóvenes para sus estudios en la universidad?   5. ¿Qué clases de la universidad requieren que Vd. apruebe muchos exámenes?   6. ¿En qué facultad de la universidad está Vd.?   7. ¿Cuándo va Vd. a graduarse?   8. ¿Qué va a hacer Vd. después de graduarse?

Gramática

The Subjunctive in Adverbial Clauses (2)

A. The subjunctive after certain adverbial conjunctions

The subjunctive is always used in adverbial clauses introduced by the following conjunctions denoting purpose, proviso, supposition, exception, or negative result:

a fin de que *so that, in order that*	en caso de que *in case*
a menos que *unless*	para que *so that, in order that*
a no ser que *unless*	siempre que *provided that*
con tal (de) que *provided that*	sin que *without*

EXAMPLES:

Te perdono con tal que me des un informe sobre ese libro.
I'll excuse you provided you give me a report on that book.

En caso de que el maestro te haga una pregunta, te paso la respuesta.
In case the teacher asks you a question, I'll pass you the answer.

Paco no puede salir bien en el examen a menos que sus amigos lo
ayuden.
Paco cannot do well on the exam unless his friends help him.

Entramos sin que ellos nos vieran.
We entered without their seeing us.

Lo hago para que él pueda entrar en la universidad.
I'm doing it so that he can enter the university.

B. Subjunctive versus Indicative

1. The conjunctions **de manera que** and **de modo que** *(so
    that, in order that)* may express either result or purpose. When
    they introduce a clause expressing purpose, the subjunctive
    follows. When they introduce a clause expressing result, the
    indicative follows.

    Lo pongo aquí de modo que nadie lo encuentre.
    I'm putting it here so that no one will find it. (purpose)

    Escribe de manera que nadie lo pueda leer.
    He writes so that no one can read it. (purpose)

    BUT:

    Escribió con cuidado de manera que todos lo podían leer.
    He wrote carefully so that everybody was able to read it. (result)

2. The subjunctive is used in an adverbial clause introduced by
    aunque *(although, even though, even if)* if the clause refers
    to an indefinite action or to uncertain information. If the clause
    reports a definite action or an established fact, then the indic-
    ative is used.

    No lo terminaré hoy aunque trabaje toda la noche.
    I won't finish it today even if I work all night.

BUT:

No lo terminé, aunque trabajé toda la noche.
I didn't finish it even though I worked all night.

EJERCICIOS

A. Complete with the correct form of the verb in parentheses.

1. Quiere comprarlo con tal que no (costar) _____ mucho.
2. No podremos invitarlos a menos que tú (traer) _____ bastante comida para todos.
3. Ellas no pueden salir sin que nosotros las (ver) _____ .
4. No puedo contestar a menos que ellos me (ayudar) _____ con esta lección.
5. En caso de que a él no le (gustar) _____ , tendremos que devolverlo.
6. Ellos no iban a menos que nosotros los (acompañar) _____ .
7. Los chicos se hablaban sin que él lo (saber) _____ .
8. Yo traje el dinero en caso de que Vds. lo (necesitar) _____ .
9. Querían acompañarnos con tal que (volver) _____ temprano.
10. Él no quiere ir a menos que la tienda (estar) _____ cerca.
11. Ella habló despacio para que ellos la (entender) _____ .
12. Les preguntaremos a ellos a fin de que nosotros (saber) _____ las respuestas.
13. Vamos a salir esta noche aunque (llover) _____ .
14. Aunque él no (haber) _____ estudiado, va a asistir a la clase.
15. Salí rápidamente de modo que se me (olvidar) _____ el libro.

B. Change the verbs in the following sentences from the present to the past.

1. Le hacen un resumen del capítulo para que él sepa responder a las preguntas del maestro.
2. Se lo repite para que ellos aprendan la historia de la guerra.
3. Quieren ir a «La Gitana» con tal de que Beto vaya también.
4. Lo hago con tal de que Vds. me ayuden.
5. Ellos se hablan sin que el profesor los vea.
6. Mi padre siempre me presta dinero sin que yo se lo pida.
7. No va a graduarse a menos que estudie más.
8. No puede prestar atención en la clase a menos que se acueste temprano.
9. Vamos a prepararnos rápidamente en caso de que tengamos que hacer un resumen oral del capítulo.
10. En caso de que salga mal en el examen, no podrá entrar en la Facultad de Medicina.

C. Express the following in Spanish.

1. He will go provided they have enough time.
2. They won't know the answers unless they read the lesson.
3. He met Beto at the store so that they could look at the new issue of *Superman*.
4. Even though it was late, we went to their house.
5. He left without his father knowing it.
6. In case they arrive late, we won't say anything.
7. She used to go out with him provided she had her father's permission.
8. He spoke slowly so that they could understand him.
9. Although it may be late, we want to go to the movies.
10. He would do well on the exam provided that he studied enough.

Adverbs

A. Formation

1. Most adverbs in Spanish are formed by adding **-mente** to the feminine singular form of an adjective. If an adjective has no feminine form, **-mente** is added to the common form.

rápido, -a	rápidamente	feliz	felizmente
cariñoso, -a	cariñosamente	fácil	fácilmente
perfecto, -a	perfectamente	elegante	elegantemente

Note that if the adjective contains a written accent, the adverb retains it.

2. In the spoken language, adjectives are frequently used as adverbs.

   a. If the only function of such an adjective is to modify the verb in the sentence, the masculine singular form of the adjective is used.

      Ellos hablaron rápido.
      They spoke rapidly.

      No saben jugar limpio.
      They don't know how to play fair(ly).

   b. Sometimes, however, such an adjective modifies both the verb and the subject of a sentence to some extent. In this case the adjective agrees in gender and number with the subject.

Los jóvenes vivían felices.
The young people lived happily.

Ellas se acercan contentas.
They are approaching contentedly.

C.   Adverbs are also formed by using **con** plus a noun.

perfectamente	con perfección
fácilmente	con facilidad
rápidamente	con rapidez

B. Usage

1.   When an adverb modifies a verb, it usually follows it or is placed as close as possible to it.

Paco estudió rápidamente la lección.
Paco studied the lesson rapidly.

2.   When an adverb modifies an adjective, it usually precedes it.

Esta lección es perfectamente clara.
This lesson is perfectly clear.

3.   When two or more adverbs modifying the same word occur in a series, only the last adverb takes the **-mente** ending.

Habló clara, rápida y enfáticamente.
He spoke clearly, rapidly, and emphatically.

4.   When more than one word in a sentence is modified by an adverb, the last adverb may be replaced by **con** plus a noun for variety.

Estudia diligentemente el francés y lo habla con perfección.
She studies French diligently and speaks it perfectly.

EJERCICIOS

A.   Form adverbs from the following adjectives, then use each in a sentence.

1.	completo	5.	natural
2.	sencillo	6.	directo
3.	cortés	7.	gradual
4.	magnífico	8.	alegre

B. Rewrite the following sentences so that they contain an adverb in **-mente.**

    1. La novelista escribe con dificultad.
    2. Sus hijos me llaman con frecuencia.
    3. Los campesinos cantan con tristeza.
    4. El ladrón se escapó con rapidez.
    5. Vd. lo hizo con facilidad.

C. Express the following in Spanish.

    1. They found the doorman easily and quickly.
    2. The teacher patiently helped the children.
    3. The children played happily and talked cheerfully.
    4. He speaks simply and he also writes simply.
    5. She looked at her husband sadly and affectionately.

Comparison of Adjectives and Adverbs

A. Comparisons of equality

The following forms are used in comparisons of equality:

tan	+ adjective or adverb + **como** as . . . as
tanto (-a, -os, -as)	+ noun + **como** as many (many) . . . as
tanto como	as much as

EXAMPLES:

    1.   With adjectives and adverbs:

        Paco es tan divertido como Beto.
        Paco is as funny as Beto.

        El chico corre tan rápidamente como su hermano.
        The boy runs as rapidly as his brother.

    2.   With nouns:

        Hay tantas preguntas en este examen como en el anterior.
        There are as many questions on this exam as on the one before.

        María tiene tanto dinero como su hermano.
        Maria has as much money as her brother.

    3.   With verbs:

        Estudió tanto como de costumbre.
        He studied as much as usual.

        Las niñas comen tanto como nosotros.
        The children eat as much as we do.

B. Comparisons of inequality

The following forms are used in comparisons of inequality:

más	+ adjective, noun, or adverb + **que** *more . . . than, -er*
menos	+ adjective, noun, or adverb + **que** *less . . . than*
más que	*more than*
menos que	*less than*

EXAMPLES:

1. With adjectives:

    Esta lección es más interesante que la otra.
    This lesson is more interesting than the other one.

    Este capítulo es menos largo que ése.
    This chapter is shorter (less long) than that one.

2. With nouns:

    Él tiene más inteligencia que yo.
    He has more intelligence than I.

    Ellos tienen menos tiempo que sus amigos.
    They have less time than their friends.

3. With adverbs:

    Ellos cuchichean más rápidamente que nosotros.
    They whisper more rapidly than we do.

    Él lo hacía menos frecruentemente que su hermano.
    He used to do it less frequently than his brother.

4. With verbs:

    Él lee más que Carlos.
    He reads more than Carlos.

    Viajo menos que mis tíos.
    I travel less than my aunt and uncle.

    Before a number, **de** is used instead of **que**.*

    Tengo menos de cinco pesos.
    I have less than five pesos.

---

* However, in negative sentences **que** may be used before numerals with the meaning of **only:**
No necesito más que cuatro dólares. *(I need only four dollars.)*

C. The superlative

1. Spanish forms the superlative of adjectives and nouns (*most, least*, suffix *-est*) with the definite article plus **más** or **menos. De** is used after a superlative as the equivalent of English *in* or *of*. Occasionally a possessive adjective replaces the definite article.

> Ése es el hombre más rico del país.
> *That is the richest man in the country.*
>
> Esta novela es la menos interesante de todas.
> *This novel is the least interesting (one) of all.*
>
> Es mi vestido más elegante.
> *It's my most elegant dress.*

2. The definite article is not used with the superlative of adverbs.

> Ese chico escribe más claramente cuando no está nervioso.
> *That boy writes clearest when he isn't nervous.*
>
> Ése era el libro que ella menos esperaba encontrar.
> *That was the book she least expected to find.*

3. However, when an adverb is further modified by a phrase expressing possibility, the neuter article **lo** is used.

> Volví lo más pronto posible.
> *I returned as soon as possible.*
>
> Lo puso lo más alto que pudo.
> *He put it as high as he could.*

EJERCICIOS

A. Change the following sentences according to the model, using **tan . . . como** or **tanto como** as required.

MODELO: Ricardo tiene dinero. (Raúl)
  Ricardo tiene tanto dinero como Raúl.

1. Alicia escribe bien. (Elena)
2. El niño se duerme temprano. (su mamá)
3. El dentista gana dinero. (el plomero)
4. Mi abuela es alegre. (mi tío)
5. Marta tiene paciencia. (Rosa)
6. La novia es feliz. (el novio)
7. El periodista habla despacio. (el locutor)
8. Carlos juega frecuentemente al ajedrez. (María)

B. Change the following sentences according to the model.

MODELO: Mi tía es feliz. (mi abuela)
Mi tía es más feliz que mi abuela.

1. El boxeador es valiente. (el torero)
2. El periodista escribe fácilmente. (el novelista)
3. Las blusas son elegantes. (los vestidos)
4. Este artículo es interesante. (ése)
5. La corrida de toros es cruel. (el fútbol)

C. Change all of the sentences in B. according to the following model.

MODELO: Mi tía es feliz. (mi abuela)
Mi tía es menos feliz que mi abuela.

D. Change the following sentences to the superlative construction, according to the model.

MODELO: Ella es rica.
Ella es la más rica de todos.

1. El campesino es pobre.
2. El juez es viejo.
3. Las chicas son bonitas.
4. El abogado es gordo.
5. Los zapatos son baratos.

E. Express the following in Spanish.

1. This issue of the magazine costs as much as that one.
2. Beto's summary is as long as mine.
3. Those verbs are the most difficult of all.
4. The doorman talks more than the teacher.
5. My parents travel less than we do.

Irregular Comparatives

1. The following adjectives have irregular comparatives:

bueno	*good*	(el) **mejor**	*(the) better, best*
malo	*bad*	(el) **peor**	*(the worse) worst*
grande	*large, great*	(el) **mayor**	*(the) older, oldest; (larger, largest; greater, greatest)*
pequeño	*small*	(el) **menor**	*(the) younger, youngest; (smaller, smallest)*

The plural is formed by adding **-es.**

> Tu hijo es buen alumno, pero el mío es mejor.
> *Your son is a good student, but mine is better.*

> Son los peores alumnos de la clase.
> *They are the worst students in the class.*

2. **Grande** and **pequeño** also have regular comparatives **(más grande** and **más pequeño).** These are the preferred forms when referring to physical size.

> Alicia es la más pequeña de la familia.
> *Alicia is the smallest in the family.*
>
> BUT:
>
> Alicia es menor que su hermana.
> *Alice is younger than her sister.*

3. The following adverbs have irregular comparatives:

bien	*well*	**mejor**	*better, best*
mal	*badly*	**peor**	*worse, worst*
mucho	*much*	**más**	*more, most*
poco	*little*	**menos**	*less, least*

> Tú tocas bien el piano, pero yo toco mejor.
> *You play the piano well, but I play better.*

> Felipe baila mal el tango, pero Pedro la baila peor.
> *Felipe dances the tango badly, but Pedro dances it worse.*

EJERCICIOS

A. Answer the following questions according to the model, using the comparative form of the appropriate adjective or adverb.

MODELO: ¿Trabaja Vd. mucho?
        Sí, trabajo mucho, pero mi vecino trabaja más.

1. ¿Canta Vd. bien?
2. ¿Habla ella poco?
3. ¿Es Vd. pequeño?
4. ¿Come Vd. mucho?
5. ¿Es él malo?
6. ¿Es ella grande?
7. ¿Es Vd. bueno?
8. ¿Juega Vd. mal (al tenis)?

B. Express the following in Spanish.

1. My aunt is older than I.
2. My grades are bad, but yours are worse.
3. My friend is the youngest in his family.
4. This restaurant is better than that one. No, that one is the best in the city.
5. It is the worst novel (that) I have read this year.
6. His ideas are bad, but mine are worse.
7. She wrote the composition the best she could.
8. The visitors will return to Spain as soon as possible.

The Absolute Superlative

1. The absolute superlative expresses a high degree of an adjective or adverb by simply using **muy** with the adjective or adverb.

> Este cuento es muy largo.
> *This story is very long.*
>
> Ella canta muy bien.
> *She sings very well.*

2. To express an even higher or more emphatic degree of an adjective or adverb, the absolute superlative is formed by dropping the final vowel of an adjective or adverb and adding the suffix **-ísimo (-a, -os, -as).**

> Ana es hermosísima.   Me gustó muchísimo.*
> *Ana is extremely beautiful.*   *I liked it very much.*
>
> Esos chicos son rarísimos.   El ejercicio es dificilísimo.
> *Those boys are really*   *The exercise is terribly*
>   *strange.*   *difficult.*

3. Words ending in **-co** or **-go** drop the **o** and change **c** to **qu** or **g** to **gu** before **ísimo:**

rico—riquísimo   largo—larguísimo

4. Words ending in **z** change **z** to **c** before **-ísimo.**

feliz—felicísimo

---

* *Very much* is always expressed by **muchísimo.**

5. The same effect may be achieved by using adverbs and adverbial phrases such as **sumamente** *(extremely)*, **terriblemente** *(terribly)*, **notablemente** *(remarkable)*, **en extremo** *(in the extreme)*, and **en alto grado** *(to a high degree)*.

<table>
<tr><td>Están sumamente
preocupados.
They are extremely
worried.</td><td>Es notablemente fácil.
It's remarkably easy.</td></tr>
</table>

EJERCICIOS

A. Change the following sentences to ones having an absolute superlative with the **-ísimo** suffix.

1. Esta lectura es muy interesante.
2. Aquellas muchachas son muy bonitas.
3. El viaje en tren me parecía muy largo.
4. Los libros son muy baratos.
5. Los bandidos son muy crueles.
6. Su pronunciación era muy mala.
7. La comida estuvo sumamente sabrosa.
8. Estas lecciones son muy fáciles.
9. Sus pies son extraordinariamente pequeños.
10. Sus padres son muy ricos.

B. Express the following sentences in two ways, by using **muy** before the adjective or adverb and then using another adverb.

1. Our Spanish teacher is terribly thin.
2. The ruins in Mexico are extraordinarily interesting.
3. Those cities are extremely beautiful.
4. My grandfather is terribly old.
5. The stores in the village were remarkably clean.

Exclamations

1. In Spanish, exclamations are most frequently formed with **¡qué!**. **¡Qué!** is the equivalent to *what a . . . !* or *what . . . !* before nouns and to *how . . . !* before adjectives and adverbs.*

---

* **Vaya un (una)** is also used to mean *what . . . , what a . . . :* **¡Vaya un hombre!** *(What a man!)*

¡Qué lástima!
What a pity!

¡Qué bien habla!
How well he speaks!

¡Qué lujo!
What luxury!

¡Qué guapa es!
How attractive she is!

2. If the noun in the exclamation is followed by an adjective, **tan** or **más** precedes the adjective. (This tends to make the exclamation more emphatic.) **Tan** or **más** is omitted when an adjective precedes the noun.

¡Qué hombre tan (más) fuerte!
What a strong man!

¡Qué bebida tan (más) sabrosa!
What a delicious drink!

BUT:

¡Qué buena persona!
What a good person!

3. **¡Cuánto!** *(how, how much, how many)* is also commonly used in exclamations.

¡Cuánto dinero tiene!
How much money he has!

¡Cuánto quería viajar con ellos!
How I wanted to travel with them!

¡Cuántos admiradores tienes!
How many admirers you have!

4. Other interrogative words may also be used in exclamations.

¡Cómo habla él!
How he talks!

¡Quién haría tal cosa!
Who would do such a thing!

5. When a noun clause follows an exclamation, its verb may be in either the indicative or the subjunctive.

¡Qué lástima que no (ganó) ganara!
What a pity he didn't win!

EJERCICIO

Express in Spanish.

1. What a pretty day!
2. How much money you have!
3. How far (away) you live!
4. How much that girl knows!
5. How many tables there are here!
6. What a beautiful girl!
7. What an interesting book!
8. How well they dance!
9. How those boys eat!
10. What good ideas you have!

REPASO

I. Connect the two clauses in each pair with the adverbial conjunction given in parentheses, making all necessary changes.

1. Manuel saldrá bien en el examen / ha estudiado la lección (con tal que)
2. El profesor no habla / los estudiantes se callan (a menos que)
3. Sus amigos le dieron la respuesta / el profesor lo vio (sin que)
4. Fueron a la biblioteca / Beto podía estudiar (para que)
5. Asisto a la conferencia / el maestro me hace preguntas después (en caso de que)

II. Translation and substitution.

1. No vamos a menos que traigas dinero para los dos.
   We aren't going unless there is enough time.
   We aren't going unless you come too.
   We aren't going unless they accompany us.
   We aren't going unless we can take the train.
2. Hablaremos con ellas con tal que no tengan novios.
   We'll talk with them provided there is enough time.
   We'll talk with them provided we see them.
   We'll talk with them provided they are alone.
   We'll talk with them provided their parents are with them.
3. Salió sin que nosotros lo viéramos.
   He left without their giving him permission.
   He left without my knowing it.
   He left without our telling (it to) him.
   He left without her having called him.

III. Express in Spanish.

My brother Thomas and I attend the same university. He is older than I, but his grades are not as good as mine, because he doesn't study as much as I do. He reads his lessons as rapidly as possible, but he doesn't learn them well. Yesterday we had an exam in history class. They gave us only twenty minutes to complete it. I finished earlier than the other students. It was an extremely easy exam, but Thomas was not able to finish it. He is not the worst student in the class, but he is not the best either. In case he doesn't do well on the exam, he will have to study more than the other students. He wants to graduate in June, but first he will have to pass history!

IV. **Intercambios.** With a classmate work out logical endings for the following sentences.

1. Mañana estudiaré en la biblioteca con tal que _____ .
2. No hablaré a mi novio (-a) otra vez a menos que _____ .
3. Yo saldré de la clase sin que _____ .
4. Iré al cine con mis amigos para que _____ .
5. Me quedaré en casa mañana en caso de que _____ .
6. Traeré mis libros a la clase a fin de que _____ .
7. Venderé mi coche en caso de que _____ .
8. Estudiaré español y la historia europea para que _____ .

V. **Composición.** Write a composition telling about your education and how it pertains to your career plans. Describe what some of your options are. Use some of the adverbial conjunctions studied in this unit.

A conversar

A. Diálogo

MARCELO   Acabo de leer unos informes sobre los cursos para extranjeros en Francia.

ANTONIO   ¿Piensas ir? Debe ser muy interesante estudiar en el extranjero.

MARCELO   Creo que sí. Me gustaría perfeccionar mi francés. ¿Y tú? ¿Por qué no vamos juntos? ¡Qué divertido sería!

ANTONIO   Pero cuesta mucho. A menos que me caiga una herencia del cielo . . .

MARCELO   Pero tú trabajas, ¿no? ¿No podrías ahorrar algo este año?

ANTONIO   Lo que gano del trabajo es sólo para mantenerme. No me sobra nada.

MARCELO   Dicen que hay becas del gobierno que pagan el viaje. ¿Por qué no preguntas en la rectoría?

ANTONIO   ¿Y el alojamiento, la comida, los libros, la matrícula?

MARCELO   Bueno, dicen que todo eso puede salir muy barato. Por ejemplo, puedes alojarte en una pensión.

ANTONIO   No sé. Cierto que me gustaría. Voy a pensarlo.

MARCELO   Vale la pena el sacrificio, creo yo. Lo que se gana en conocimientos de otra cultura vale para toda la vida.

B. Discusión: La universidad

Todos pasamos muchos años en la escuela pública y muchos también continúan su educación en la universidad. Ya que Vd. está participando en este proceso, tendrá algunas ideas sobre la educación que ha recibido y las instituciones de enseñanza a las que ha asistido. Indique sus ideas, contestando oralmente las siguientes preguntas:

1. ¿Le parece que la escuela secundaria lo ha preparado a Vd. de un modo adecuado para la universidad?
2. ¿Cree Vd. que la educación debe tener un fin práctico? ¿Debe limitarse a la preparación del alumno para un oficio?
3. ¿Quiénes deben establecer el plan de estudios en la universidad? ¿los profesores? ¿los estudiantes? ¿el rector y los decanos?
4. ¿Debe haber materias obligatorias (requisitos) en la universidad?
5. ¿Le parece que el sistema actual de evaluación del estudiante es un poco anticuado? ¿Hay otro sistema mejor?

6. ¿Deben participar los estudiantes en la administración de la universidad? ¿en la selección de los profesores?
7. ¿Debe ser gratuita la instrucción en las universidades públicas?
8. ¿Cuáles son los problemas principales con que se enfrenta la universidad hoy día?

C. Actividad

Los estudiantes de la Universidad de Córdoba, Argentina, empezaron la Reforma Universitaria al publicar en 1918 su «Manifiesto de la Juventud Argentina de Córdoba a los Hombres Libres de Sudamérica». El Manifiesto insistía en la participación de los estudiantes en el gobierno de la universidad, defendía la libertad de enseñanza y asistencia y mantenía que la instrucción debía ser gratuita.

Con unos compañeros de clase, prepare Vd. un manifiesto, indicando cómo debería ser la universidad ideal.

La ciudad en el mundo hispánico

(En una ciudad de México, Tomás y Carlos se reúnen como todos los días en el Café Alfredo, un restaurante al aire libre.[1])

TOMÁS	Hola, Carlos. ¿No vino Dieguito?
CARLOS	No. Tuvo que visitar a un amigo que está en el hospital.
TOMÁS	¡Hombre! Mira a esas dos muchachas. Qué guapitas las dos ¿eh?
CARLOS	Guapetonas. A la morenita la vi pasar antes solita. Oye, ¿qué vamos a hacer esta noche?
TOMÁS	No sé. ¿Qué quieres hacer tú? Con tal que no cueste nada, porque mis bolsillos están que chillan del hambrote que traen.
CARLOS	A ver si Isabel y Sonia quieren salir a pasear. Te puedo prestar un poquito para que vayamos al cine. O podríamos ir al museo—no cuesta nada.
TOMÁS	¡Uf! Pero es media hora en el autobús.[2] Luego tendríamos que esperar hasta que se vistieran y luego otra media hora de vuelta. Ni que fueran Liz Taylor y Raquel Welch.
CARLOS	En el Metro llegaríamos en quince minutos.
TOMÁS	Si tuviéramos un coche sólo nos tomaría diez minutos. Voy a buscarme una novia que viva en el centro. ¡Mira! Esas dos acaban de sentarse allí. Si esa pelirroja fuera mi novia, iría hasta el fin del mundo en autobús.
CARLOS	Tal vez está resuelta la cuestión del programa para esta noche. Ve a hablarles. Ya me enamoré.
TOMÁS	Bueno, pero ¿qué les digo?
CARLOS	Invítalas a ir a bailar con nosotros.
TOMÁS	Pero, si aceptan . . . a menos que traigas dinero para los dos . . .
CARLOS	Sí, sí, yo te presto. Vamos al «Jacarandá». Tienen un conjunto formidable. Pero date prisa, antes de que se nos vayan.
TOMÁS	Bueno, bueno, ya voy. *(Se acerca a la mesa de Tere y Lola.)* Perdonen, señoritas, ¿saben Vds. dónde queda «El Jacarandá»?
TERE	Sí, allí en la esquina. ¿No ve Vd. el letrero ahí—el de las letras grandotas?
TOMÁS	Ah, ¿cómo no lo había notado? ¿Vd. sabe si es un buen lugar para bailar?
TERE	Pues, así dicen. Yo nunca estuve adentro.
TOMÁS	Entonces, permítanme invitarlas. Si nos acompañaran a mi amigo y a mí, podríamos averiguar si merece la fama que tiene. ¿De acuerdo?
LOLA	Sólo si pide permiso a nuestros novios, que se acercan ahí detrás de Vd.
TOMÁS	¿Cómo? ¿Novios? Ah . . . este . . . Gracias por la información.

Buenas noches, caballeros. Pedía un poquitín de información. Si hubiera sabido, no habría molestado. Bueno, con su permiso . . . *(Vuelve a su mesa.)* Oye, Carlos, viéndolas de cerca no son tan bonitas.

CARLOS Sí, veo que las acompañan unos tipos. Bueno, ¿qué quieres hacer esta noche?

TOMÁS Pues, vamos en el Metro a casa de Isabel y Sonia, ¿quieres? Pensándolo bien, no está tan lejos.

CARLOS Bueno, vámonos.

NOTAS CULTURALES

1. **un restaurante al aire libre:** La vida social en las ciudades hispánicas se concentra en los cafés—frecuentemente al aire libre— donde se reúne la gente por la tarde, después del trabajo, para conversar, beber y comer entremeses u otros bocaditos. Es una costumbre indispensable para mucha gente.

2. **media hora en el autobús:** Se usa mucho el transporte público en las ciudades hispánicas. El medio más popular es el autobús (camión). Los taxis abundan también. En las capitales hay trenes subterráneos (llamados «el Metro») que suelen ser más rápidos y, a veces, más cómodos.

VOCABULARIO

abundar   to abound
averiguar   to find out
bocadito   snack
bolsillo   pocket
caballeros   gentlemen
conjunto   musical group
enamorarse (de)   to fall in love (with)
entremeses *m pl* hors d'oeuvres
formidable   great, wonderful
grandote, -ta   very large
guapetona   really pretty
guapita   very pretty
letrero   sign

merecer   to deserve
Metro   subway
morenita   pretty brunette
novio, -a   boyfriend, girlfriend; fiancé, fiancée
pelirrojo, -a   redhead
poquitín *m* a tiny bit
poquito   a little bit
prestar   to lend
resuelto, -a   resolved
reunirse   to meet, gather
soler   (to be) usually, generally
subterráneo, -a   underground
tipo   guy

al aire libre   open air, outside
café al aire libre   sidewalk café
¿de acuerdo?   agreed? all right?
están que chillan del hambre que traen   are growling
  with hunger (in other words, very empty)
ni que fueran   not even if they were

Preguntas

1. ¿Qué tipo de restaurante es el Café Alfredo?   2. ¿Por qué no viene Dieguito?   3. ¿Qué piensa Tomás de las muchachas? 4. ¿Qué es lo que sugiere Carlos?   5. ¿Cómo pueden llegar a casa de Isabel y Sonia?   6. ¿Qué les pregunta Tomás a las dos muchachas?   7. ¿Qué quiere hacer en realidad?   8. ¿Por qué no se interesan las muchachas?   9. ¿Qué deciden hacer Tomás y Carlos?

Preguntas Personales

1. ¿En qué ciudad grande de los Estados Unidos o de México ha estado Vd.?   2. ¿Le gustan a Vd. las ciudades grandes? ¿Por qué?   3. ¿Le gustan a Vd. los restaurantes al aire libre? ¿Por qué?   4. ¿Dónde y cuándo ha estado Vd. en un restaurante al aire libre?   5. ¿Por qué no hay muchos restaurantes al aire libre en este país?   6. ¿Prefiere Vd. ir a un museo o al cine? ¿Por qué?   7. ¿Cómo se llama su conjunto musical favorito?   8. ¿Prefiere Vd. viajar por autobús o por metro? ¿Por qué?

Gramática

If-Clauses

A. Subjunctive and indicative in if-clauses

In Spanish as in English, **si** if-clauses may express conditions that are factual or conditions that are contrary to fact. The verb tense used in a Spanish **si**-clause depends upon the factual or non-factual nature of the condition.

1. When a **si**-clause expresses a simple condition or a situation that implies the truth or an assumption, the indicative mood is used in both the **si**-clause and the result clause of the sentence.

> Si tengo bastante dinero, iré contigo.
> *If I have enough money, I will go with you.*
>
> Si continúas hablando, vas a perder el avión.
> *If you continue talking, you are going to miss the plane.*
>
> Si ellos tenían tiempo, hacían la tarea.
> *If they had time, they did the assignment.*

2. When a **si**-clause states something that is contrary to fact (not true now nor in the past) or unlikely to happen, the imperfect or past perfect subjunctive is used. The result clause is usually in the conditional or the conditional perfect.*

> Si pudiera, iría en tren.
> *If I could, I would go by train.*
>
> Si hubiera sabido, no las habría molestado.
> *If I had known, I would not have bothered them.*
>
> Si él fuera a México, vería las ruinas aztecas.
> *If he should (were to) go to Mexico, he would see the Aztec ruins.*
>
> ¿Qué harías si tuvieras un millón de dólares?
> *What would you do if you had a million dollars?*

3. The present subjunctive, the future indicative, and the conditional tenses are never used in conditional **si**-clauses.

4. However, when **si** means *if* in the sense of *whether,* it is always followed by the indicative. Any indicative tense may be used in this case.

> No sé si lo haré o no.
> *I don't know if (whether) I'll do it or not.*

---

* The **-ra** form of the imperfect or pluperfect subjunctive may also be used in the result clause of conditional sentences.

B. Clauses with *como si*

Como si *(as if)* implies an untrue or hypothetical situation. It requires the imperfect or the past perfect subjunctive.

Pinta como si fuera Picasso.
He paints as if he were Picasso.

Hablaban como si no hubieran oído las noticias.
They were talking as if they hadn't heard the news.

¡Como si nosotros tuviéramos la culpa!
As if we were to blame!

EJERCICIOS

A. Complete with the correct form of the verb in parentheses.

1. Si yo (tener) _____ más tiempo, estudiaría con Vds.
2. Si él (haber) _____ estudiado sus notas, habría salido bien en el examen.
3. Si ellos (ganar) _____ bastante dinero, irán a México.
4. María me habló como si (ser) _____ mi madre.
5. Si nosotros (tomar) _____ el Metro, llegaríamos en diez minutos.
6. Si el profesor (hablar) _____ más despacio, los alumnos lo entienden mejor.
7. Si los chicos (haber) _____ comido antes de salir, no habrían tenido hambre más tarde.
8. Si yo (poder) _____ encontrar una pluma, escribiré la carta.
9. Él estudió como si le (gustar) _____ el curso.
10. Si ellos (viajar) _____ en tren, gastarían menos.

B. Restate each of the following sentences twice, according to the model.

MODELO: Si yo tengo dinero, iré a la universidad.
Si yo tuviera dinero, iría a la universidad.
Si yo hubiera tenido dinero, habría ido a la universidad.

1. Si yo vengo temprano, terminaré el trabajo.
2. Si los estudiantes leen la lección, aprenderán mucho.
3. Si tú lo puedes hacer, ella no lo hará.
4. Si podemos, iremos en el Metro.
5. Si me invitan, cenaré con ellos.

C. Express the following in Spanish.

1. He ate as if he were very hungry.
2. If he has time, he'll study the verbs tonight.
3. If they had had money, they would have gone to California.
4. Carlos explained it as if he understood it.
5. I'm not sure whether he's coming or not.
6. If we were to go to Spain, we would travel by plane.
7. She danced as if she didn't hear the music.
8. Would you buy a car if you knew how to drive?

Verbs Followed by a Preposition

Certain verbs require a preposition when followed by an infinitive or an object noun or pronoun. In the lists below, note the following:
—A few verbs are regularly used with either of two prepositions:

> entrar **en** or entrar **a** to enter (into)
> preocuparse **con** or preocuparse **de** to be concerned with, to worry about

—Many verbs may take more than one preposition, their meaning varying according to which preposition is used:

> acabar **con** to put an end to, acabar **de** to have just
> dar **a** to face; dar **con** to come upon, meet
> pensar **de** to think of (have an opinion of); pensar **en** to think of (have on one's mind)*

A. Verbs that take the preposition *a*

1. Verbs taking **a** before an infinitive:

acostumbrarse a *to get used to*	llegar a *to come to; to succeed in*
aprender a *to learn to*	negarse a *to refuse to*
apresurarse a *to hasten to*	obligar a *to oblige to*
atreverse a *to dare to*	ofrecerse a *to offer to*
ayudar a *to help to*	oponerse a *to be opposed to*
comenzar a *to begin to*	ponerse a *to begin to*
decidirse a *to decide to*	prepararse a *to prepare to*
detenerse a *to stop to*	principiar a *to begin to*
disponerse a *to get ready to*	proceder a *to proceed to*
echar(se) a *to begin to*	sentarse a *to sit down to*
empezar a *to begin to*	venir a *to come to*
enseñar a *to teach to*	volver a *to . . . again*
invitar a *to invite to*	
ir a *to be going to*	

* **Pensar** may also be followed directly by an infinitive, in which case it means *to intend to*.

2. Verbs taking **a** before an object:

acercarse a *to approach* ir a *to go to*
asistir a *to attend* llegar a *to arrive at (in)*
dar a *to face* oler a *to smell of*
dirigirse a *to go toward; to* parecerse a *to resemble*
address oneself to responder a *to answer*
entrar a *to enter (into)* saber a *to taste of*

B. Verbs that take the preposition *con*

1. Verbs taking **con** before an infinitive:

amenazar con *to threaten to* preocuparse con *to be*
conformarse con *to agree to* *concerned with*
contar con *to count on* soñar con *to dream of*
contentarse con *to be*
content with

2. Verbs taking **con** before an object:

acabar con *to put an end to* encontrarse con *to meet*
casarse con *to marry* quedarse con *to keep*
contar con *to count on* soñar con *to dream of*
cumplir con *to fulfill one's* tropezar con *to run across,*
obligation toward; to keep *come upon*
dar con *to meet, come upon*

C. Verbs that take the preposition *de*

1. Verbs taking **de** before an infinitive:

acabar de *to have just* encargarse de *to take charge*
acordarse de *to remember* *of*
to haber de *to have to*
alegrarse de *to be happy to* olvidarse de *to forget to*
arrepentirse de *to repent of* quejarse de *to complain of*
cansarse de *to tire of* terminar de *to finish*
cesar de *to stop; to cease to* tratar de *to try to*
dejar de *to stop; to fail to*

2. Verbs taking **de** before an object:

acordarse de *to remember* burlarse de *to make fun of*
aprovecharse de *to take* cambiar de *to change*
advantage of carecer de *to lack*
asombrarse de *to be amazed* compadecerse de *to have*
at *pity on*

desconfiar de *to distrust*	enterarse de *to find out about*
depender de *to depend on*	
despedirse de *to say good-bye to*	extrañarse de *to be surprised at*
disculparse de *to apologize for*	fiarse de *to trust*
	gozar de *to enjoy*
disfrutar de *to enjoy*	mudar(se) de *to move*
dudar de *to doubt*	olvidarse de *to forget*
enamorarse de *to fall in love with*	pensar de *to think of*
	reírse de *to laugh at*
entender de *to understand about, to know about*	servir de *to serve as*

D. Verbs that take the preposition *en*

1. Verbs taking **en** before an infinitive

confiar en *to trust to*	insistir en *to insist on*
consentir en *to consent to*	pensar en *to think of, about*
consistir en *to consist of*	persistir en *to persist in*
convenir en *to agree to*	tardar en *to delay in, take long to*
empeñarse en *to insist on*	

2. Verbs taking **en** before an object

confiar en *to trust*	gozar en *to enjoy*
convertirse en *to turn into*	pensar en *to think of (her friends, etc.)*
entrar en *to enter (into)*	
fijarse en *to notice*	

EJERCICIOS

A. Complete the following sentences with the correct preposition, where required.

1. Las mujeres se acercaron _____ la puerta.
2. La lección consiste _____ leer el cuento.
3. Nosotros queremos _____ ir al partido de fútbol.
4. Mi primo se enamoró _____ una pelirroja.
5. Se alegran _____ recibir una carta de su abuela.
6. La doctora espera _____ llegar temprano a la universidad.
7. Los estudiantes se ponen _____ estudiar a las diez.
8. El abogado siempre ha cumplido _____ su palabra.
9. Al entrar _____ su casa me olvidé _____ todo.
10. Es necesario acordarse _____ esta fecha.
11. Mis compañeros siempre insisten _____ beber vino.

12. Mis padres compraron una casa que da _____ la plaza.
13. No podemos _____ salir sin ellos.
14. Rumbo a la estación, Juan tropezó _____ su novia.
15. Me olvidé _____ ponerlo en mi cuarto antes de salir.

B. Write ten sentences using the following verbs: *acostumbrarse a, dirigirse a, contentarse con, casarse con, quejarse de, burlarse de, despedirse de, consentir en, persistir en, fijarse en.*

Diminutives and Augmentatives

Spanish has a number of diminutive and augmentative suffixes that are added to nouns, adjectives, and adverbs in order to indicate a degree of size or age. These suffixes may also express affection or contempt. Often these endings eliminate the need for adjectives.

A. Formation

1. Augmentative and diminutive endings are added to the full form of words ending in a consonant or stressed vowel:

   mamá   mamacita *(mama, mommy)*
   animal   animalucho *(ugly animal)*

2. Words ending in the final unstressed vowels **o** or **a** drop the vowel before the ending is added:

   libro   librito *(little book)*
   casa   casucha *(shack, shanty)*

3. When suffixes beginning in **e** or **i** are attached to a word-stem ending in **c, g,** or **z,** these changes to **qu, gu,** and **c** *respectively* in order to preserve the sound of the consonant:

   chico   chiquito *(little boy)*
   amigo   amiguito *(pal, buddy)*
   pedazo   pedacito *(small piece, bit)*

4. Diminutive and augmentative endings vary in gender and number:

   pobres   pobrecillos *(poor little things)*
   abuela   abuelita *(grandma)*

B. Diminutive endings

The most common diminutive endings are **-ito, -illo, -cito, -cillo, -ecito** and **-ecillo.** In addition to small size, diminutive endings frequently express affection, humor, pity, irony, and the like.

1. The endings **-ecito(-a)** and **-ecillo(-a)** are added to words of one syllable ending in a consonant and words of more than one syllable ending in **e** (among others):

flor	florecita *(little flower, posy)*
pan	panecillo *(roll)*
pobre	pobrecillo
madre	madrecita

2. The endings **-cito(-a)** and **-cillo(-a)** are added to most words of more than one syllable ending in **n** or **r:**

joven	jovencita
autor	autorcillo *(would-be author)*

3. The endings **-ito(-a)** and **-illo(-a)** are added to most other words:

ahora	ahorita *(right now)*
casa	casita
Pancho	Panchito
Juana	Juanita
campana	campanilla *(hand bell)*

C. Augmentative endings

The most common augmentative endings are **-ón(-ona), -azo, -ote(-ota), -acho,** and **-ucho.** Augmentative endings express large sizes and also contempt, disdain, grotesqueness, and so on.

hombre	hombrón *(big, husky man)*
éxito	exitazo *(huge success)*
libro	librote *(large, heavy book)*
rico	ricacho *(very rich)*
casa	casucha *(shanty)*

EJERCICIOS

A. Translate each of the following words, tell whether each is a diminutive or an augmentative, and then give the noun from which each is derived.

1. sillón
2. caballito
3. perrazo
4. chiquillo
5. mujerona
6. jovencito
7. hombrón
8. platillo
9. panecillo
10. ratoncito
11. pollito
12. hermanito
13. hombrecito
14. cucharón
15. zapatillos
16. cafecito
17. perrito
18. abuelita
19. casucha
20. boquita

B. Express the following in Spanish, using diminutives and augmentatives in place of adjectives.

1. The big woman talked with the little girl.
2. The little man tried to catch the big dog.
3. His little friend is writing a short letter.
4. There were little birds behind the big house.
5. Little Diego is her favorite little son.

REPASO

I. Complete with the correct form of the verb in parentheses.

1. Irían a la playa si (tener) _____ tiempo.
2. Si yo (saber) _____ la verdad, se la diría.
3. Si José (estudiar) _____ , aprenderá mucho.
4. Si ellos me (haber) _____ invitado, habría ido.
5. Si (haber) _____ bastante tiempo, vamos a ver las ruinas indias.
6. Ese hombre habla como si (ser) _____ muy inteligente.
7. Su novio baila como si (estar) _____ borracho.
8. Mi abuelo escribe como si no (poder) _____ ver bien.

II. Express the following in Spanish.

    1. If I have time, I will do it.
         If I had time, I would do it.
         If I had had time, I would have done it.
         If I had time, I used to do it.
    2. He spoke as if he understood me.
         He spoke as if he knew it.
         He spoke as if he discovered it.
         He spoke as if he did it.
         He spoke as if he wanted it.

III. **Intercambios.** With a classmate work out original endings for the following sentences.

    1. Si yo tuviera un millón de pesetas, _____ .
    2. Si hubiera un restaurante al aire libre aquí, _____ .
    3. Si yo pudiera ir a Sudamérica, _____ .
    4. Si yo viviera en una cuidad grande, _____ .
    5. Si yo estudiara mucho, _____ .

    1. Yo comería ahora, si _____ .
    2. Yo haría la lección, si _____ .
    3. Yo te daría todo mi dinero, si _____ .
    4. Y iría contigo al cine, si _____ .
    5. Yo te compraría una taza de café, si _____ .

IV. **Composición.** Write a composition telling what you would do if you won a lottery. Use as many constructions with **si** as you can.

REPASO DEL SUBJUNTIVO

Complete the following sentences with the correct form of the verb in parentheses.

    1. Espero que ellos (llegar) _____ pronto.
    2. Querían que yo (ir) _____ con ellos.
    3. Ella insistió que él (decir) _____ la verdad.
    4. Le dijeron a Juan que (venir) _____ .
    5. Pensamos que él (ser) _____ un buen estudiante.
    6. No creen que nosotros (poder) _____ hacerlo.
    7. Carlos dice que su amigo (vivir) _____ en México.
    8. Ojalá que ellos (tener) _____ bastante dinero.

9. Tal vez ellos no (querer) _____ visitarme.
10. Es posible que todos (ir) _____ juntos.
11. Es evidente que a él no le (gustar) _____ la comida.
12. No es cierto que ella (recibir) _____ el premio.
13. Es necesario (comer) _____ para vivir.
14. Era dudoso que los estudiantes (entender) _____ todo.
15. No nos parece que su padre (tener) _____ razón.
16. Nos alegramos de que Vd. (quedarse) _____ aquí.
17. El médico le aconsejó que (trabajar) _____ menos y (divertirse) _____ más.
18. El profesor permitió que Paco (asistir) _____ la clase.
19. En esa librería puedes comprar cualquier libro que (necesitar) _____ .
20. Quiero comprar un libro que (explicar) _____ los usos del subjuntivo.
21. Buscaron un restaurante que (servir) _____ comida española.
22. No hay nadie que (creer) _____ eso.
23. Conozco a alguien que (vivir) _____ cerca de la universidad.
24. Encontraron un coche que no (costar) _____ mucho.
25. Por inteligente que (ser) _____ ese chico, no sale bien en los exámenes.
26. Vamos a estudiar cuando nuestros amigos (llegar) _____ .
27. Esperaron hasta que él (salir) _____ .
28. Hablé con Paco antes de que él (ir) _____ a clase.
29. Tan pronto como él (haber) _____ repasado sus notas, debe tomar el examen.
30. Me llamó cuando (venir) _____ a la capital.
31. Iremos a casa de Sonia aunque (llover) _____ .
32. Quería ir con Carlos aunque él no (tener) _____ dinero.
33. Carlos irá en tren con tal que (haber) _____ uno que (salir) _____ a las ocho.
34. Ellos lo hicieron sin que nosotros lo (ver) _____ .
35. Van a Oaxaca para que su amigo (conocer) _____ la ciudad.
36. En caso del que ella (tener) _____ tiempo, van a visitar el museo.
37. Si (haber) _____ un tren a Oaxaca podríamos ir mañana.
38. Si él (ahorrar) _____ su dinero, podría ir con nosotros.
39. Él habría hecho la tarea si (haber) _____ entendido la lección.
40. Ella escribe como si (ser) _____ autora.

A conversar

A. Diálogo

Discutan Vds. el siguiente diálogo.

SAMUEL   Apúrate. Sube en el autobús, rapido.

AMALIA   Por poco lo perdemos. ¿Tienes suelto?

SAMUEL   Sí. Ya pagué. Sentémonos en esos asientos allí atrás— son los únicos.

AMALIA   Esas dos mujeres los van a ocupar. Tendremos que ir parados.

SAMUEL   ¡Cómo me fastidia esto! Todos los días viajo media hora parado en un autobús lleno de gente. Necesito comprar un auto.

AMALIA   Sería peor. Las calles congestionadas te harían demorar más de media hora.

SAMUEL   Sí, ya sé. Pero por lo menos pasaría el tiempo sentado.

AMALIA   Y luego hay la cuestión de los gastos y la molestia del estacionamiento. Y sobre todo tus nervios.

SAMUEL   Mis nervios se destruyen más con los empujones y los codazos en las costillas que me dan en el autobús.

AMALIA   Bueno, dentro de unos meses van a abrir la nueva parada del Metro cerca de tu casa. Podrás viajar rápida y cómodamente.

SAMUEL   Sí, hasta que se llene eso también. No hay remedio. Hoy voy a buscar un auto usado.

B. Discusión: La vida urbana y la vida rural

Todos tenemos alguna idea de cómo preferiríamos vivir si pudiéramos escoger libremente. A algunas personas les gusta más la vida urbana; otras prefieren vivir en el campo. Indiquen Vds. sus preferencias, contestando las siguientes preguntas.

1. ¿Dónde se siente Vd. más cómodo, en la metrópoli o en el campo?
2. ¿Cuáles son algunas de las ventajas de la vida rural?
3. ¿Qué nos ofrece la metrópoli?
4. ¿Qué cualidades asocia Vd. con las personas que viven en las grandes ciudades? ¿y con las que viven en el campo?
5. ¿Prefiere Vd. caminar por los campos o por las calles de una ciudad?
6. ¿Qué preparación necesita uno para ganarse la vida en la ciudad? ¿en el campo?

7. ¿Dónde hay mejores diversiones, en la ciudad o en el campo?
8. ¿Dónde es mejor la calidad de la vida? ¿Por qué?

C. Temas de conversación

1. ¿Cuáles son los problemas más graves que enfrentan los habitantes de las grandes ciudades?
2. ¿Cuáles son los problemas de las personas que viven en el campo?
3. ¿Cree Vd. que el gobierno nacional debe ayudar las ciudades que tienen problemas económicos? ¿Debe ayudar a los agricultores con sus problemas?

11

Los Estados Unidos y lo hispánico

(Carlos, un estudiante mexicano, se reúne con Bob y Rudi, dos estudiantes chicanos. Charlan de un viaje que Rudi y Bob piensan hacer a México después de los exámenes finales.)

BOB   ¿Cómo estuvo el examen?

CARLOS   ¡Uf! Difícil, amigo. Sólo con suerte me aprobaron.

RUDI   Pero tú siempre sales bien en química. ¿Qué pasó?

CARLOS   Pues, el profe nos hizo una mala jugada. Preguntó mucho sobre las primeras lecciones. Se me había olvidado todo eso. Pero, no hablemos de cosas desagradables. Vamos a hablar del viaje. Van primero a la capital, ¿verdad?

BOB   Sí. Pensamos pasar unas dos semanas en la capital y luego ir en autobús hasta Yucatán. Terminamos en Cancún para descansar en la playa.

CARLOS   Buen programa. ¿Dónde van a alojarse en México? ¿Han escogido un hotel?

RUDI   Todavía no. ¿Nos puedes recomendar uno? Que no sea muy caro, ¿eh? No estamos en plan de turistas ricos. Queremos viajar mucho con poco dinero.

CARLOS   Claro. Después les doy una lista. Hay varios hoteles cómodos de precios muy moderados. ¿Quieren estar en el centro?

BOB   Creo que sí. A propósito, ¿es difícil andar por la ciudad? No tendremos coche.

CARLOS   Al contrario. Hay toda clase de transporte público. Tener coche es un lío en la ciudad. Puesto que Vds. hablan español, pueden pedir información en cualquier parte.

RUDI   ¿Y qué ciudades del interior nos recomiendas?

CARLOS   Pues, hay varias interesantes entre la capital y Yucatán. Oaxaca, por ejemplo, es muy bella, y las ruinas de Monte Albán están muy cerca.

RUDI   Benito Juárez nació en Oaxaca, ¿verdad?

CARLOS   Sí. Y si quieres ver otras ruinas, puedes ir a Palenque. Y luego a Villahermosa y Mérida, Uxmal y Chichén Itzá.

BOB   Pero, hombre, espérate. ¿Cómo vamos a recordar todo eso?

CARLOS   Miren, les voy a traer un libro de guía. Señalaré las ciudades más importantes e interesantes. ¿Por qué no van a Guatemala[1] y los otros países centroamericanos?

BOB   No hay suficiente tiempo. Pensamos volver a Centroamérica el verano que viene. Queremos ver todos los países de habla española.

RUDI   También queremos ir al Brasil, donde hablan portugués, y a Haití, donde hablan francés. Además, hay islas como Trinidad y Tobago, donde el idioma oficial es el inglés.

BOB   Antes yo no sabía que había tanta variedad lingüística en Latinoamérica.

CARLOS   Existe mucha variedad cultural también, aun entre los países de habla española. Hay que darse cuenta de la diferencia entre un país como Guatemala y otro como la Argentina.

BOB   Pero todos los países hispanos tienen las mismas raíces culturales. Hablan la misma lengua, tienen la misma religión. . . .

CARLOS   Pero han tenido una historia diferente[2] y probablemente tendrán un destino propio. Verán—¡incluso hay diferencias dentro de México, entre la capital y Yucatán!

NOTAS CULTURALES

1. **¿Por qué no van a Guatemala?:** Desde la frontera de México hasta Panamá hay unas 1200 millas que abarcan seis países distintos: Guatemala, Honduras, El Salvador, Nicaragua, Costa Rica, y Panamá. El más pequeño, El Salvador, tiene la misma área que el estado de New Hampshire, y el más grande, Guatemala, es del tamaño de Pennsylvania.

2. **Pero han tenido una historia diferente:** Uno de los errores más comunes de los norteamericanos es el olvidarse de las grandes diferencias entre una nación y otra en la región llamada «Latinoamérica».

VOCABULARIO

abarcar   to include, comprise
alojarse   to lodge; to stay
charla   chat, conversation
desagradable   unpleasant
jugada   trick

lío   problem, hassle
profe   m   professor (*slang*)
raíz   f   root, origin
señalar   to point out, indicate, mark

a propósito   by the way
en plan de   in the situation of
puesto que   since, inasmuch as

Preguntas

1. ¿Dónde se reúnen los tres estudiantes?   2. ¿Cómo salió Carlos en el examen de química?   3. ¿Por qué fue tan difícil el examen?   4. ¿A dónde quieren ir primero Bob y Rudi?   5. ¿Cómo van a viajar a Yucatán?   6. ¿Van a andar por la capital en coche?   7. ¿Dónde está Monte Albán?   8. ¿Por qué no van a visitar Centroamérica?   9. ¿Qué idiomas hablan en el Brasil y en Haití?   10. ¿Dónde hablan inglés?

Preguntas Personales

1. ¿Ha viajado Vd. en Hispanoamérica? ¿Dónde?   2. ¿Qué país de Hispanoamérica le gustaría visitar?   3. ¿Cómo prefiere Vd. viajar por Hispanoamérica? ¿en coche? ¿en tren? ¿en autobús? ¿en avión? ¿Por qué?   4. ¿Qué querría ver en cada país?   5. ¿Querría Vd. estudiar en un país hispanoamericano? ¿Por qué?   6. ¿Preferiría Vd. vivir con una familia hispanoamericana o en un hotel? ¿Por qué?   7. ¿Cree Vd. que es necesario saber hablar idiomas extranjeros si uno quiere viajar por el mundo? ¿Por qué?   8. ¿En su opinión, ¿por qué es importante para una persona viajar a varios lugares del mundo?

Gramática

The Passive Voice

In the active voice the subject performs the action of the verb, whereas in the passive voice the subject receives the action. Compare the following examples:

ACTIVE VOICE:

Los mayas construyeron las pirámides de Uxmal y Chichén Itzá.
The Mayans constructed the pyramids of Uxmal and Chichén Itzá.

PASSIVE VOICE:

Las pirámides de Uxmal y Chichén Itzá fueron construidas por los mayas.
The pyramids of Uxmal and Chichén Itzá were constructed by the Mayans.

A. Formation of the passive voice

The passive voice is formed with the verb **ser** plus a *past participle*. **Ser** may be conjugated in any tense form and the past participle must agree in gender and number with the subject. The agent (doer) of the action is usually introduced by **por.**

Ese pueblo fue fundado por los españoles.
That town was founded by the Spanish.

Los tíos de Rudi serán visitados por Bob y Carlos.
Rudi's aunt and uncle will be visited by Bob and Carlos.

B. Use of the passive voice

1. The passive voice with **ser** is used when the agent carrying out the action of the verb is a physical or bodily one, expressed or implied.

    > Las notas fueron repasadas por Carlos.
    > *The notes were reviewed by Carlos.*
    >
    > El boleto fue comprado por Rudi.
    > *The ticket was bought by Rudi.*
    >
    > Soy respetado.
    > *I am respected. ("by people" is implied)*

2. If the action of the sentence is mental or emotional, **de** is used instead of **por** with the agent.

    > El profesor es respetado (admirado, *etc.*) de todos.
    > *The professor is respected (admired, etc.) by everyone.*

EJERCICIOS

A. Change the verbs in parentheses to the passive voice, using the preterite tense of **ser.**

1. Las bebidas (servir) _____ por la criada.
2. El libro de historia (leer) _____ por Juan.
3. Los manuscritos (escribir) _____ por un monje.
4. La información (mandar) _____ por mi amigo.
5. Los turistas (respetar) _____ de los indios.

B. Change the following sentences from the active to the passive voice.

1. Los alumnos estudiaron la historia de Hispanoamérica.
2. Rudi describe la influencia española en México.
3. La clase visitará la capital del país.
4. La iglesia católica estableció las misiones.
5. Carlos compra el coche.
6. Elena escribirá la carta.
7. Los españoles exploraron Latinoamérica.
8. Carlos recomienda algunos lugares magníficos.

Substitutes for the Passive

A. Reflexive *se*

When the agent of the action is not expressed or implied, the reflexive **se** is used with a third person singular or plural verb form as a substitute for the passive voice. Note that in this construction the subject usually follows the verb.

> Allí se encuentra la población de origen colonial.
> *The population of colonial origin is found there.*

> Se venden libros de historia en aquella librería.
> *History books are sold in that bookstore.*

> Muchas páginas se han escrito sobre la conquista.
> *Many pages have been written about the conquest.*

> Se pueden ver las montañas desde la capital.
> *The mountains can be seen from the capital.*

B. Impersonal "they"

The third person plural may also be used as a substitute for the passive when the agent is not expressed.

> Dicen que es muy inteligente.
> *They say (it is said) that she is very intelligent.*

> Hablan español en la Argentina.
> *They speak Spanish in Argentina. (Spanish is spoken in Argentina.)*

EJERCICIOS

A. Change the following sentences from the plural to the singular; then translate each one.

1. Se encuentran misiones coloniales allí.
2. Se descubrieron las ruinas.
3. Se abren las puertas a las doce.
4. Se han escrito las guías turísticas.
5. Se cerraron las tiendas temprano.

B. Change the following sentences to the impersonal *they* construction, then translate each one.

1. Se habla portugués en el Brasil.
2. Se venden discos en esa tienda.
3. Se dice que Elena está muy contenta.
4. Se comen tacos en México.
5. Se baila el tango en la Argentina.

C. Express the following in Spanish two ways: (1) using the reflexive construction with **se** and (2) using the impersonal *they*.

1. The doors are opened at nine.
2. The house was sold yesterday.
3. Portuguese is spoken here.
4. The trip will be discussed.
5. Lectures are given in this room.

Uses of the Infinitive

1. As an object of a preposition (where English uses the *-ing* form):

    Después de repasar sus notas, él fue a clase.
    After reviewing his notes, he went to class.

    Antes de hablar es bueno pensar.
    Before speaking, it is good to think.

2. As a noun functioning as the subject or object of a verb. It may be used with or without the definite article **el:**

    (El) ver esa región es indispensable.
    Seeing that region is indispensable.

    ¿Qué prefieres, nadar o esquiar?
    What do you prefer, swimming or skiing?

3. As a verb complement, in place of a noun clause when there is no change of subject:

    Quiero salir mañana.
    I want to leave tomorrow.

    Esperan llegar el martes.
    They hope to arrive on Tuesday.

4. In place of a noun clause after certain impersonal expressions (used with an indirect object pronoun):

    Le es necesario comprarlo.
    It is necessary for him to buy it.

    Nos es imposible viajar en tren.
    It is impossible for us to travel by train.

5. After verbs of perception such as **oír, escuchar, ver, mirar,** and **sentir.** (Note the position of the noun object in the last example.)

> Los oí llorar.
> *I heard them crying.*
>
> Vieron escapar al ladrón.
> *They saw the thief escape.*

6. Instead of a noun clause after verbs of preventing, ordering, or permitting **(prohibir, mandar, hacer, dejar,** and **permitir).** An object pronoun is usually a part of this construction.

> Me prohibió salir.
> *He prohibited me from leaving.*
>
> Nos impidieron entrar.
> *They stopped us from entering.*
>
> No lo dejaron hablar.
> *They didn't allow him to speak.*
>
> Le hizo escribirla.
> *He made him write it.*

7. In certain impersonal commands (usually on signs):

> No fumar.
> *No smoking.*
>
> No escupir en la calle.
> *No spitting in the street.*
>
> No pisar el césped.
> *Don't step on the grass.*

EJERCICIO

Express the following in Spanish.

1. Speaking a foreign language is important.
2. Before leaving he gave me his address.
3. Upon seeing her friends, she began to smile.
4. No smoking, eating, or sleeping in the laboratory.
5. We prefer to eat after finishing the lesson.
6. It is necessary for him to study.
7. He let them use his notes.
8. They ordered us to sit down.
9. We saw our friends approach.
10. It is impossible for us to do it.

Nominalization

A word or phrase that modifies a noun (a simple adjective, a **de** phrase, or an adjective clause) may function as a noun when used with the definite article. The process of omitting the noun and using the article + modifier is called *nominalization*.

NOUN(S) STATED:

Hay dos chicas allí. La chica morena es mi prima y la chica rubia es mi hermana.
There are two girls over there. The brunette girl is my cousin and the blond girl is my sister.

NOUN(S) OMITTED:

Hay dos chicas allí. La morena es mi prima y la rubia es mi hermana.
There are two girls over there. The brunette is my cousin and the blond is my sister.

MORE EXAMPLES:

La raqueta de Paco es roja. La de Paco es roja.
Paco's racket is red. Paco's is red.

El chico que habla es Carlos. El que habla es Carlos.
The boy who is talking is Carlos. The one who is talking is Carlos.

The contractions **al** and **del** will often occur in nominalized sentences.

Quiero conocer al hombre rico.
Quiero conocer al rico.

EJERCICIOS

A. Change the following sentences according to the model.

MODELO: Pienso que los exámenes orales son más difíciles que los exámenes escritos.
Pienso que los orales son más difíciles que los escritos.

1. Éstas son las fotos de Trinidad y aquéllas son las fotos de Tobago.
2. La chica que está cerca de la ventana es más bonita que la chica que está sentada.
3. Te prestaré el dinero que tengo.
4. No puedo leer las palabras que están en aquel letrero.
5. La chica pelirroja quiere salir con Carlos.
6. Los chicos de aquí no saben bailar.
7. El restaurante que está en esa esquina está cerrado.
8. Las bebidas que tomamos costaron mucho.

9. La casa de Isabel y Sonia queda lejos de aquí.
10. Se acerca a la mesa de Tere y Lola.

B. Express the following in Spanish.

1. A restaurant? I like the one that is on the corner.
2. Novels? We like the ones by (of) Carlos Fuentes.
3. A record? I want to listen to the one by (of) José Feliciano.
4. Dances? We like the ones of South America.
5. The houses? They prefer the old ones.

The Conjunctions *Sino* and *Pero*

Sino and **pero** both mean *but;* however, each has specific uses.

1. **Sino** means *but* in the sense of *but instead, but on the contrary.* It is used when the first clause of a sentence is negative and the information in the second clause contrasts with that in the first.

   No vamos a Colombia sino al Brasil.
   We are not going to Colombia but (instead) to Brazil.

   Él no quiere estudiar sino dormir.
   He doesn't want to study but to sleep.

2. **Sino que** is used instead of **sino** when a conjugated verb follows.

   Él no quiere estudiar sino que prefiere dormir.

3. **Pero** is used for *but* in all other cases. (**Pero** = *but nevertheless.*)

   Quiero ir con Vds., pero tengo que estudiar para el examen.
   I want to go with you but I have to study for the exam.

   No me gustan tales cuentos, pero vale la pena leerlos.
   I don't like such stories, but it is worthwhile to read them.

EJERCICIO

Complete with **sino** or **pero.**

1. Rudi no va con Carlos _____ con Bob.
2. Quiere ser ingeniero _____ no es fácil.

3. No van a tomar el autobús _____ el Metro.
4. No va al cine _____ se queda en casa.
5. Mi amigo no es español _____ mexicano.
6. Él va a estudiar _____ ellos prefieren ir al cine.
7. No piensan ir a Bolivia _____ a Guatemala.
8. No hay desierto _____ montañas.
9. No queremos quedarnos _____ nos quedaremos.
10. Me gustaría hablar más _____ tengo que terminar la tarea.

The Alternate Conjunctions *E* and *U*

1. The conjunction **y** changes to **e** before words beginning with **i** or **hi.**

> Queremos ver lugares pintorescos e interesantes.
> *We want to see picturesque and interesting places.*

> Se necesitan tela e hilo para hacer un vestido.
> *Fabric and thread are needed to make a dress.*

However, **y** does not change before nouns beginning with **hie** or with **y.**

> petróleo y hierro   él y yo
> *oil and iron*   *he and I*

2. The conjunction **o** changes to **u** before words beginning with **o** or **ho.**

> Tomás u Olivia puede hacerlo.
> *Tomás or Olivia can do it.*

> No sé si es mujer u hombre.
> *I don't know if it's a woman or a man.*

EJERCICIOS

A. Complete with **y** or **e,** as required.

1. Mis frutas favoritas son naranjas _____ higos.
2. Se sirve Coca-Cola con limón _____ hielo.
3. Carlos habla español _____ inglés.
4. Contó un cuento divertido _____ increíble.

B. Complete with **o** or **u,** as required.

1. No sé si necesito más dinero _____ otra cosa.
2. Traté de hacerlo siete _____ ocho veces.
3. Prefiero leer novelas _____ cuentos.
4. No sabe si el boleto costó setenta _____ ochenta pesos.

REPASO

I. Reply to each statement, using the true passive construction.

MODELO: Las notas están escritas.
Sí, fueron escritas por el estudiante.

1. Las lecciones están terminadas.
2. La composición está corregida.
3. Los viajes están arreglados.
4. La puerta está cerrada.
5. El resumen está preparado.

II. Nominalize the following sentences.

1. La casa de Juan está muy lejos de aquí.
2. Las chicas mexicanas están estudiando en nuestra universidad.
3. El libro que está en la mesa es de Elena.
4. El coche azul es de mi papá.
5. Los muchachos españoles están aquí de visita.

III. **Intercambio.**   You and a classmate are planning a trip to Latin America. Make out an itinerary (itinerario) for your trip including the places that you plan to visit and a list of the items that you feel will be necessary to have on your trip. Be prepared to present this to the entire class. See if the class feels that you have included all of the essential items for foreign travel.

IV. **Composición.**

A.   Write a composition describing a trip you recently took. Tell about the places you visited and the people that you met.

B.   Write a composition describing a trip that you would like to take through Latin America.

A conversar

A. Diálogo

(*En la aduana.*)

ADUANERO Buenos días, señor. ¿De dónde viene Vd.?

VIAJERO De Los Ángeles, California.

ADUANERO ¿Me permite ver su visa y prueba de ciudadanía?

VIAJERO Sí. Aquí tiene el pasaporte. Está visado. Es un viaje turístico.

ADUANERO ¿Tiene Vd. algo que declarar?

VIAJERO Lo único que traigo, además de la ropa y los artículos de uso personal, es este radio portátil. Es un regalo para mi sobrina.

ADUANERO Está bien. No tiene que pagar derechos de importación. ¿Hay algo más?

VIAJERO Nada, señor. ¿Quiere que abra las maletas?

ADUANERO No voy a revisarlas todas. ¿Me hace el favor de abrir la pequeña?

VIAJERO Sí, claro. Como ve Vd., es ropa, nada más.

ADUANERO Bien. Aquí tiene sus documentos. Puede pasar.

VIAJERO Muchas gracias. ¿Podría Vd. decirme dónde puedo conseguir un taxi?

ADUANERO Sí, pase Vd. por esa puerta a la derecha. Espero que su visita a nuestro país sea agradable.

B. Situaciones para resolver

Escriba Vd. un diálogo corto sobre dos de las siguientes situaciones, refiriéndose a la lista de vocabulario útil para cada situación.

1. Vd. ha llegado a una ciudad hispánica y tiene que tomar un taxi al centro. Pregunte al chofer por un hotel no muy caro y por una agencia donde puede alquilar un coche.

    autopista *highway;* calle *(f) street;* cobrar por *to charge for;* coche de alquiler *rental car;* precio fijo (por persona) *fixed price (per person);* recomendar *to recommend;* ruta *route;* taxímetro *taximeter*

2. Vd. llega al hotel sin cuarto reservado. Pida Vd. información acerca de los precios y el tipo de cuarto disponible.

    administración o gerencia *front desk;* aire acondicionado *air conditioning;* calefacción *heat;* cama doble (o de matrimonio) *double bed;*

camas gemelas *twin beds;* cien pesos diarios *a hundred pesos a day;* conserje *(m) desk clerk;* cuarto con baño (ducha) *room with a bath (shower);* cuarto sencillo (doble) *single (double) room;* gerente *(m) manager;* reserva *reservation;* tarifa *rate*

3. Después de firmar el registro, Vd. sube al cuarto para descansar y bañarse, pero descubre que se les ha olvidado colocar toallas limpias en el cuarto. Tiene que llamar a la administración y explicar la situación.

   ascensor *(m) elevator;* ascensorista *(m* or *f) elevator operator;* botones *(m) bell hop;* camarera *maid;* cuarto de baño *bathroom;* equipaje *(m) luggage;* faltar *to be missing, lacking;* llave *(f) key;* jabón *(m) soap;* papel higiénicio *toilet paper;* toalla *towel*

4. Después de escribir unas cartas y unas tarjetas postales, Vd. tiene que ir al correo. Pregunte al conserje dónde está. Después, Vd. pasa por el banco para cobrar unos cheques de viajero. Tiene que identificarse y averiguar el tipo de cambio.

   correo aéreo (ordinario) *air (regular) mail;* dirección *address;* estampilla (sello, timbre) *stamp;* franqueo *postage;* remitente *(m* or *f) sender, return address;* cajero *cashier;* cheque de caja *(m) cashier's check;* cheque de viajero *traveller's check;* cobrar un cheque *to cash a check;* cuenta *account;* firmar o endosar *to sign, endorse;* tipo (o tarifa) de cambio *exchange rate;* ventanilla *(cashier's) window*

5. Al día siguiente, Vd. se siente mal. Llame Vd. a la gerencia y pregunte por un médico. Después, llame al médico y explique lo que le pasa.

   alergia *allergy;* antiácido *antacid;* aspirina *aspirin;* cápsula *capsule;* clínica *clinic, hospital;* consultorio *doctor's office;* dolor de estómago (cabeza) *stomach (head) ache;* enfermedad *illness;* estar resfriado *to have a cold;* farmacéutico *pharmacist;* indigestión *indigestion;* inyección *injection, shot;* pastilla *tablet;* píldora *pill;* receta *prescription*

UNIDAD

12

La presencia hispánica en los Estados Unidos

(Carlos, Bob y Rudi vuelven a encontrarse en la cafetería de la universidad para seguir su charla sobre los viajes del verano. Esta vez hablan del viaje que Carlos piensa hacer al suroeste de los E.E.U.U.)

CARLOS Bueno, esta tarde tengo el último examen y mañana voy a hacer turismo. ¿Y Vds.? ¿Cuándo salen?

BOB No salimos hasta el lunes. ¿Adónde vas primero?

CARLOS Esperaba que Vds. me aconsejaran. Quiero ver los lugares que demuestren la influencia mexicana.[1] ¿Sería mejor ir a Phoenix, Tucson u otra ciudad?

RUDI Pues, en cuanto a la influencia mexicana, hay relativamente poca en Phoenix pero mucha en Tucson. Aquella fue establecida mucho más tarde. La misión de San Xavier del Bac,[2] cerca de Tucson, fue construida en 1700.

BOB En realidad, casi toda la influencia hispánica en Arizona es reciente, pero en el norte de Nuevo México y en el sur de Colorado[3] hay pueblos que se fundaron en los tiempos coloniales. El ver esa región es indispensable.

RUDI Si tienes mucho tiempo, te puedo recomendar algunos sitios magníficos en las montañas de Nuevo México. Pero por lo menos te daré la dirección de mis tíos en Santa Fe—ellos te pueden guiar por la ciudad.

CARLOS Y la gente de Texas, ¿no es de procedencia colonial también?

BOB Bueno, Texas es más semejante a California—una mezcla de gente mexicana cuyos antepasados llegaron en el siglo XIX y otros que han inmigrado recientemente. El aspecto colonial se limita a varias misiones aisladas.

CARLOS ¿No son los estados de más concentración hispánica?

RUDI Sí, es cierto, pero en Texas y en California ha habido más contacto con la cultura anglosajona que en otras partes de Nuevo México. ¿Cómo viajas? ¿En avión?

CARLOS Sí, porque el camión[4] llevaría demasiado tiempo, ya que la distancia es enorme. Si pudiera, iría en tren, pero es difícil.

RUDI No sólo difícil, sino imposible.

CARLOS Tengo pasaje desde Los Ángeles hasta San Antonio y puedo hacer escala en cualquier ciudad de en medio. Pensaba que podía tomar el camión para visitar los pueblos pequeños.

RUDI ¿Compraste boleto de ida y vuelta?

CARLOS No. Es un boleto sencillo porque voy a viajar de San Antonio a México para pasar unos días con mis padres antes de volver a la universidad.

BOB   Hablando de México ¿cuándo vas a orientarnos un poco más? Partimos el lunes para la capital.

CARLOS   Lo haré con mucho gusto. Si fuera posible, les acompañaría en una gira por mi patria. Pero creo que les puedo dar algunos consejos sobre los lugares más pintorescos e interesantes.

BOB   ¿Por ejemplo?

CARLOS   Miren, tengo otro examen en diez minutos. Quisiera repasar mis notas una vez más antes de entrar. ¿Qué tal si nos reunimos aquí a las seis?

RUDI   Perfecto. Que salgas bien en el examen.

BOB   Gracias. nos vemos a las seis. Buena suerte.

CARLOS   La voy a necesitar. Hasta luego.

NOTAS CULTURALES

1. **los lugares que demuestren la influencia mexicana:** La cultura hispánica en el suroeste de los Estados Unidos tiene varios antecedentes históricos. Algunos pueblos fueron fundados durante la época colonial (1521-1824) y tienen un marcado sabor español. Otros muestran rasgos de la cultura mexicana del siglo XIX y aún otros la influencia de los inmigrantes mexicanos recientes. Este hecho explica en parte la gran variedad cultural y lingüística de la cultura chicana.

2. **La misión de San Xavier del Bac:** Los primeros centros españoles en los Estados Unidos fueron las misiones católicas establecidas por los misioneros.

3. **el norte de Nuevo México y el sur de Colorado:** Esta región es de origen colonial y está relativamente aislada del resto de la cultura chicana y también de la cultura anglosajona.

4. **camión:** Esta palabra quiere decir *bus* en México, aunque quiere decir *truck* en España. En España se dice «autobús.»

VOCABULARIO

aislado,-a   isolated
almorzar   to eat lunch
antepasado   ancestor
consejo   advice
chicano,-a   Mexican-American
escala   stopover
gira   tour
guiar   to guide
marcado,-a   clear, marked

pasaje *m*   passage, ticket
patria   country
pintoresco,-a   picturesque
procedencia   origin
química   chemistry
rasgo   trace
repasar   to review
sencillo,-a   one-way (ticket)
suroeste *m*   southwest

de en medio   in between
de ida y vuelta   round-trip (ticket)
en cuanto a   regarding, as far as . . . is concerned
pasado mañana   the day after tomorrow
por lo menos   at least

Preguntas

1. ¿Qué estudia Carlos en los Estados Unidos?   2. ¿Qué país van a visitar Bob y Rudi?   3. ¿Cuándo van a salir?   4. ¿Qué lugares quiere ver Carlos?   5. ¿Qué estados muestran rasgos de la cultura española colonial?   6. ¿Cómo pueden ayudar los tíos de Rudi a Carlos?   7. ¿De qué elementos se compone la cultura hispánica de Texas?   8. ¿Dónde se encuentra la mayor concentración hispánica del suroeste?   9. ¿Cómo va a viajar Carlos?   10. ¿Por qué llevaría demasiado tiempo en el camión?   11. ¿Compró Carlos boleto de ida y vuelta? ¿Por qué no?   12. ¿De qué van a hablar cuando se reúnan a las seis?

Preguntas Personales

1. ¿Ha visitado Vd. el suroeste de los Estados Unidos? ¿Dónde?   2. Si Vd. tuviera la oportunidad de visitar unos estados del suroeste para observar la influencia hispánica, ¿qué estados preferiría visitar? ¿Por qué?   3. ¿Antes de estudiar la lengua española sabía Vd. que había mucha influencia hispánica en el suroeste de los Estados Unidos?   4. ¿Ha hecho Vd. un viaje en camión? ¿Cuándo?   5. ¿Prefiere Vd. viajar en camión o en coche? ¿Por qué?   6. ¿Sabe Vd. que hay otros lugares de los Estados Unidos que también tienen influencia hispánica? ¿Cuáles son? 7. ¿Qué es el origen de la influencia hispánica en esos lugares?

Gramática

Review of Uses of the Definite Article

Some special uses of the definite article in Spanish are as follows:

1. With nouns in a series, it is generally repeated before each noun:

> El abrigo, el sombrero y las corbatas son de Alfredo.
> *The overcoat, hat and ties belong to Alfredo.*

2. With all titles except **don (doña)** and **Santo (Santa)** when talking about a person:

> La señora García está en Texas.
> *Mrs. García is in Texas.*

> Don José reza a Santo Tomás.
> *Don José prays to St. Thomas.*

Note that the article is omitted when speaking directly to a person.

> Señor García, ¿dónde está el comedor?
> *Mr. García, where is the dining room?*

3. With nouns used in a general or abstract sense:

> Las flores son bonitas.
> *Flowers are pretty.*

> La paciencia es más importante que la sabiduría.
> *Patience is more important than wisdom.*

4. With infinitives used as verbal nouns:

> El charlar constantemente es molesto.
> *Talking constantly is annoying.*

> El leer es más agradable que el mirar la televisión.
> *Reading is more pleasant than watching television.*

5. With days of the week, seasons of the year, the time of day, and dates:

> Voy a misa los domingos.
> *I go to mass on Sundays.*

> La primavera es la estación más bonita del año.
> *Spring is the prettiest season of the year.*

Son las siete.
It's seven o'clock.

Hoy es el seis de enero.
Today is January 6.

However, the article is omitted with days of the week in expressions such as **Hoy es . . . , Ayer fue . . . ,** etc.; it is also omitted after **ser** with seasons. After the preposition **en** the use of the article with seasons is optional.

Hoy es martes.
Today is Tuesday.

Es invierno en la Argentina.
It's winter in Argentina.

En (el) otoño las hojas caen de los árboles.
In autumn the leaves fall from the trees.

6. With names of languages, except after the preposition **en** or when the language immediately follows the verb **hablar:***

Hablan muy bien el francés.
They speak French very well.

El español es muy fácil.
Spanish is very easy.

BUT:

En español hay muchas palabras de origen árabe.
In Spanish there are many words of Arabic origin.

Hablan francés.
They speak French.

After the preposition **de,** the article is often omitted with languages; this is always the case with a **de** phrase that modifies a noun:

Es profesora de alemán.
She's a German teacher (a teacher of German).

7. With parts of the body, articles of clothing, and personal effects, in place of the possessive adjective (see Unit 4):

Me lavo las manos.   Marta se pone los guantes.
I wash my hands.   *Marta puts on her gloves.*

---

* After some other verbs **(aprender, comprender, escribir, estudiar, leer, saber),** use of the article is optional.

8. With the names of certain countries, cities, and states:

la Argentina	la Florida
el Brasil	la Gran Bretaña
el Canadá	el Japón
el Ecuador	el Perú
los Estados Unidos	el Uruguay
	El Salvador

Nowadays the article is often omitted with these countries in newspapers, radio broadcasts, and colloquial speech. But it is always retained with **El Salvador.**

9. With names of all other countries when modified by an adjective or phrase:

> el México azteca
> *Aztec Mexico*
>
> la Inglaterra medieval
> *medieval England*
>
> la España del Cid
> *Spain of the Cid*

10. With the names of games and sports:

> Paco juega muy bien a las damas.
> *Paco plays checkers very well.*
>
> Me gusta mucho el tenis.
> *I like tennis a lot.*

11. With the names of meals:

> Los niños se acuestan después de la cena.
> *The children go to bed after supper.*

12. With the nouns **escuela, iglesia, ciudad,** and **cárcel** when they are preceded by a preposition:

> Para algunos chicos asistir a la escuela es como estar en la cárcel.
> *For some boys going to school is like being in jail.*

NOTE: Feminine nouns beginning with stressed **a** or **ha** use **el** instead of **la** in the singular:

> El agua está fría.
> *The water is cold.*

El hambre es un problema mundial.
Hunger is a world problem.

But when these nouns are in the plural, they use the feminine
article **las:**

Las aguas de esos ríos están muy sucias.
The waters of those rivers are very dirty.

EJERCICIOS

A. Complete the following sentences with the appropriate form of the definite
article (or a contraction) where required.

1. _____ libertad es importante.
2. ¿Cómo está Vd., _____ señora García?
3. Mis amigos hablan _____ italiano.
4. _____ hombres son así.
5. Se preocupa de _____ vida y de _____ muerte.
6. Vamos a misa _____ domingo.
7. Nunca voy _____ cine.
8. _____ agua está helada.
9. _____ otoño es bonito en las montañas.
10. Son _____ cuatro.

B. Change the words given in English to Spanish.

1. Carlos se pone *his* ropa.
2. *Brazil* es un país enorme.
3. Estudiamos la historia de *colonial America.*
4. César no va a *school* los domingos.
5. Hoy es *April 10.*
6. *Mr. García* nunca va a misa.
7. Su padre es profesor de *Latin.*
8. *The trees* en el parque son verdes.
9. Sufren mucho de *hunger.*
10. ¿Son de Vd. *the pen and pencil?*

Review of Uses of the Indefinite Article

A. Omission of the article

The indefinite article is generally used in Spanish as it is in English.
However, in Spanish the indefinite article is omitted:

1. Before unmodified predicate nouns indicating profession, nationality, religion, political affiliation, and the like:

Soy cocinero.
I am a cook.

Alicia es abogada.
Alicia is a lawyer.

Felipe es mexicano.
Felipe is a Mexican.

¿Eres republicano?
Are you a Republican?

However, the article *is* used when the noun is emphatic (stresses something important about the person) or when it is modified:*

¿Quién es ella? Es una maestra.
Who is she? She's a teacher.

Es un dentista excelente.
He's an excellent dentist.

2. In negative sentences, after certain verbs such as **tener** and **buscar,** and with personal effects, when the numerical concept of **un(o), una** is not important:

¿Tienes coche?
Do you have a car?

Busco solución a mi problema.
I'm looking for a solution to my problem.

Siempre lleva sombrero.
He always wears a hat.

BUT:

No tiene ni un pariente que le ayude.
He doesn't have one (a single) relative to help him.

3. After **sin** and **con:**

Nunca sale sin sombrero.
He never goes out without a hat.

Quiero una casa con comedor.
I want a house with a dining room.

4. With **otro, cierto, mil, cien(to),** and **tal** *(such a):*

¿Tienes otro?
Do you have another?

Cierto hombre me dijo. . . .
A certain man told me. . . .

---

* The indefinite article *is* omitted when the noun and the modifier form a single, commonplace phrase and the modifier precedes the noun: **Es buena persona (gente).**

Me lo ha repetido mil veces.
She has repeated it to me a thousand times.

Nunca he visto tal cosa.
I've never seen such a thing.

But note that the indefinite article is used with **millón:**

un millón de habitantes
a million inhabitants

5. Before nouns in many adverbial phrases:

Luchó como león.   María escribe con pluma.
He fought like a lion.   *María is writing with a pen.*

6. With nouns in apposition when the category rather than the identity of the person is stressed:

José Feliciano, célebre cantante puertorriqueño, cantó el himno nacional.
José Feliciano, a famous Puerto Rican singer, sang the national anthem.

B. Other notes on usage

1. The indefinite article is generally repeated before each noun in a series:

Voy a comprar un abrigo y un sombrero.
I'm going to buy a coat and hat.

2. Feminine nouns beginning with stressed **a** or **ha** take **un** in the singular instead of **una** when the article immediately precedes:

un hacha *an axe*
un aula *a classroom*

3. The plural indefinite articles **unos** and **unas** translate English *some, a few,* and *about.* **Unos** is less specific than **algunos.***

Vimos unos partidos muy buenos.
We saw some very good games.

Tiene unos veinte años.
He is about twenty years old.

---

* **Algunos** *must* be used instead of **unos** before **de** phrases: **Algunos de mis amigos vinieron a la fiesta.**

EJERCICIOS

A. Complete the following sentences with the indefinite article where required.

1. Siempre escribe con _____ lápiz.
2. Es _____ arquitecto muy célebre.
3. No quiere _____ casa sin agua caliente.
4. Busco _____ médico.
5. De vez en cuando vendo _____ libro.
6. Elena está más bonita sin _____ anteojos.
7. Es _____ estudiante mexicano.
8. Mi padre es _____ buen abogado.
9. Gana _____ mil pesos mensuales.
10. Se portó como _____ hombre.

B. Express the following in Spanish.

1. I don't have a car.
2. They want to buy a book, (a) pen, and (a) notebook.
3. The children want to buy some gifts.
4. Robert is a very good lawyer. (two ways)
5. Mr. Pérez is a famous doctor.
6. She has a solution to the problem.
7. Are you an American?
8. No, I'm a Mexican, and my wife is a Colombian.
9. Does he have a tennis racket?
10. That picture was painted by Picasso, a famous Spanish artist.

Expressions with *Tener, Haber,* and *Deber*

A. Idiomatic expressions with *tener*

1. Many idiomatic expressions are formed with the verb **tener.** Common ones include:

tener hambre *to be hungry*	tener razón *to be right*
tener sed *to be thirsty*	tener suerte *to be lucky*
tener sueño *to be sleepy*	tener vergüenza *to be*
tener frío *to be cold*	*ashamed*
tener calor *to be hot*	tener dolor de cabeza *to*
tener miedo *to be afraid*	*have a headache*
tener cuidado *to be careful*	tener dolor de estómago *to*
tener ganas de *to feel like*	*have a stomach ache*
tener prisa *to be in a hurry*	tener fiebre *to have a fever*
tener . . . años *to be . . . years old*	

EXAMPLES:

Tengo ganas de ir al cine.
I feel like going to the movies.

Siempre tiene mucha sed.
They are always very thirsty.

Since **hambre, sueño, sed,** etc., are nouns, they can be modified by the adjective **mucho (-a,-os, -as)** rather than by **muy.**

2. **Tener que** plus an infinitive *(to have to)* expresses an obligation that one *must* carry out.

    Tuve que llevar el coche al taller.
    I had to take my car to the repair shop.

    Tiene que llenar una solicitud.
    He has to (must) fill out an application.

3. **Tener** plus a variable past participle stresses a present state that is the result of a past action.

    Ella tiene preparada la comida.
    She has the meal prepared.

B. Uses of *haber*

1. **Hay que** plus an infinitive means *one has to, one must, or it is necessary.*

    Hay que estudiar para aprender.
    It is necessary to study in order to learn.

    Hay que conservar energía.
    One must (one has to) conserve energy.

2. **Haber de** plus an infinitive is used to express futurity with a slight degree of obligation. Less emphatic than **tener que,** it is translated *to be to* or *to be supposed to.*

    Han de estudiar ahora.
    They are to study now.

    He de corregir los exámenes.
    I'm supposed to correct the exams.

C. Uses of *deber*

1. The verb **deber** plus an infinitive translates *ought to, should,* or *must.* It expresses moral obligation rather than compulsion or need.

> Debemos escribirles.
> *We ought to write to them.*
>
> Él debe comprar los boletos.
> *He should buy the tickets.*
>
> Debo ir a clase ahora.
> *I must go to class now.*

2. To soften the expression of obligation or to express advice about present or future conduct, the conditional or the imperfect subjunctive of **deber** is used.

> Deberíamos escribirles.
> *We (really) ought to write to them.*
>
> Vd. debiera comprar los boletos.
> *You (really) should buy the tickets.*

3. The imperfect of **deber** + **haber** + a past participle translates *should have* + past participle.

> Debías haberle escrito.
> *You should have written to him.*

4. Either **deber** or **deber de** may also express probability or likelihood.*

> Deben (de) estar en la biblioteca.
> *They are probably in the library.*
>
> Debían (de) haber salido.
> *They must have left.*

EJERCICIO

Express the following in Spanish.

1. I am in a hurry—I have to leave now.
2. It is necessary to practice in order to speak Spanish well.

---

*Remember that the future and conditional tenses may also be used to express probability: **Estarán en la biblioteca.** *(They are probably in the library.)* **Habrían salido.** *(They must have left.)*

3. They are (supposed) to buy the tickets today.
4. She ought to (must) leave at 8:00.
5. He ought to (should) arrive in the capital by Friday.
6. They have to go to the bank after work.
7. You should have chosen that hotel.
8. You are right. We really ought to invite them.
9. He is probably at the station already. (two ways)
10. I have a headache. I must go to the doctor.

Miscellaneous Verbs

A. *Saber* and *conocer*

1. The verb **saber** means *to know a fact,* to have information or knowledge about something or someone. When followed by an infinitive it means *to know how* to do something.

    Yo sé la lección.
    I know the lesson.

    Sabemos que él es médico.
    We know that he is a doctor.

    Sabe tocar la trompeta.
    He knows how to play the trumpet.

2. In the preterite, **saber** means *to find out* or *to learn.*

    Supimos que ya habían salido.
    We found out (learned) that they had already left.

3. The verb **conocer** means *to know a person, place, or thing* in the sense of "to be acquainted with," "to be familiar with."

    Conocen la capital.
    They know (are familiar with) the capital.

    Conozco a su prima.
    I know (am acquainted with) his cousin.

4. In the preterite, **conocer** means *to meet, to be introduced to.*

    Los conocimos anoche.
    We met them last night.

B. *Preguntar* and *pedir*

1. The verb **preguntar** means *to ask a question.*

> Le preguntó a Rudi dónde estaba Tucson.
> *She asked Rudi where Tucson was.*
>
> Siempre me preguntaba la misma cosa.
> *He always used to ask me the same thing.*
>
> Le voy a preguntar cuánto cuestan los mapas.
> *I'm going to ask him how much the maps cost.*

2. The verb **pedir** means *to ask for, to ask a favor, to request.*

> Carlos pidió permiso a su padre para usar el coche.
> *Carlos asked his father for permission to use the car.*
>
> Me pidieron un lápiz.
> *They asked me for a pencil.*
>
> Nos piden que vayamos a verlos.
> *They are asking us to go see them.*

C. *Tomar* and *llevar*

1. **Tomar** means *to take* (in one's hand), *to take transportation,* or *to eat* or *to drink:*

> Paco tomó los libros y salió para la escuela.
> *Paco took his books and left for school.*
>
> Tomaron el tren para la capital.
> *They took the train to the capital.*
>
> Siempre tomo café por la mañana.
> *I always drink coffee in the morning.*

2. **Llevar** means *to take along* or *to carry* (to some place).

> Llevó a su hermana a la fiesta.
> *He took his sister to the party.*
>
> Hay que llevar pasaporte para entrar en un país extranjero.
> *One must carry a passport in order to enter a foreign country.*

D. *Quitar* and *quitarse*

1. **Quitar** means *to remove from, to take away (off).*

> La criada quitó los platos de la mesa.
> *The maid took (removed) the plates from the table.*

Quitaron las maletas del autobús.
They took the suitcases off the bus.

2. **Quitarse** means *to take off of oneself.*

Se quitó el sombrero antes de entrar en la sala.
He took off his hat before entering the living room.

EJERCICIOS

A. Complete with either **saber** or **conocer,** depending on the meaning of the sentence.

1. ¿_____ Vd. cómo salió en el examen?
2. Tomás y yo _____ que ellos viven en este barrio.
3. Yo _____ bien este lugar.
4. Raúl _____ todas las obras de Cervantes.
5. Marta _____ escribir a máquina.
6. ¿_____ Vd. al escritor de ese libro?
7. Ellos no _____ resolver este problema.
8. Ayer María y yo _____ a los padres de Juan.
9. Yo _____ anoche que él había llegado.
10. Toda la gente del pueblo _____ al obispo.

B. Complete with the correct preterite form of either **preguntar** or **pedir.**

1. Carlos _____ información sobre el viaje de Bob.
2. Ellos nos _____ si queríamos salir temprano.
3. Sus amigos me _____ la fecha.
4. Yo _____ una taza de café.
5. Rudi le _____ el nombre del hombre de la barba.
6. El turista nos _____ si hablan la misma lengua en Guatemala y en el Brasil.
7. Él me _____ que esperara un rato.
8. Las chicas le _____ a Carlos el diccionario.

C. Express the following in Spanish.

1. We always take a taxi when we want to go downtown.
2. He took the suitcase off the chair before sitting down.
3. They took off their hats before entering the cathedral.
4. She drinks a lot of sangría when it is hot out.
5. He always carries his traveler's checks when he travels.
6. We took the packages out of the car.
7. She is taking her mother to the movies.
8. He took his hand out of (from) his pocket.

REPASO

I. **Verb tense review.** Give the Spanish equivalents of the following:

1. I leave.
2. I have left.
3. I am leaving.
4. I used to leave.
5. I left.
6. I was leaving.
7. I had left.
8. Leave. (Vd.)
9. Leave. (tú)
10. Let's leave.
11. Let him leave.
12. Don't leave. (tú)
13. I will leave.
14. I will have left.
15. I would leave.
16. I would have left.
17. I have been leaving.
18. I had been leaving.
19. I may leave.
20. I may have left.
21. I might leave.
22. I might have left.
23. I am to leave.
24. I have to leave.

II. **Intercambios.** Ask a classmate the following questions.

1. ¿Te gusta viajar?
2. ¿Te gusta viajar solo o con alguien? ¿Por qué?
3. ¿Prefieres viajar en los Estados Unidos o en un país extranjero? ¿Por qué?
4. ¿Prefieres viajar con un grupo turístico o solo(a)? ¿Por qué?
5. Si tuvieras la oportunidad, ¿preferirías visitar España o Latinoamérica? ¿Por qué?

III. Make a list of twenty geographic terms in the United States that are of Hispanic origin. The list may include the names of cities, states, rivers, mountains and counties. Also include the English meaning of each name. Be prepared to share this information with the entire class.

IV. **Composición.** Write a composition describing Hispanic influences in the United States.

A conversar

A. Diálogo

Discutan Vds. el siguiente diálogo.

HOMBRE   Señorita, quisiera un boleto de ida y vuelta entre Calderas y Córdoba.

AGENTE   Muy bien. ¿De primera o de segunda clase?

HOMBRE   De primera, si me hace el favor.

AGENTE   ¿Me permite Vd. ver el pasaporte?

HOMBRE   Aquí lo tiene. ¿A qué hora sale el avión?

AGENTE   El próximo vuelo es a las 17:20. Llega a Córdoba a las 20.10.

HOMBRE   ¿Cuánto cuesta el pasaje?

AGENTE   Son 2.250 pesos con impuestos. ¿Desea pagar al contado o con tarjeta de crédito?

HOMBRE   Pago al contado. ¿Por dónde abordamos?

AGENTE   Por el portal número 12-C a las 17 horas. ¿Desea facturar el equipaje?

HOMBRE   Gracias. Sólo tengo esta maletita. Voy a llevarla conmigo.

B. Discusión: Las situaciones inesperadas

Con frecuencia el viajero se enfrenta con situaciones inesperadas u otras que varían de las costumbres de su propio país. Supongamos que un estudiante sudamericano lo está visitando a Vd. Es la primera vez que él ha viajado a los Estados Unidos. Durante una charla le menciona las diferencias culturales que ha notado. Indique Vd. a la clase el contraste que hay entre las siguientes costumbres hispánicas y las nuestras.

1. —En mi país es costumbre echar un piropo a una chica atractiva al encontrarla en la calle. Con esto, uno atrae su atención. Normalmente, la chica no le hace caso a uno y finge no haberle escuchado.
2. —Cuando salgo con mi novia, siempre nos acompaña su madre o una de sus tías.
3. —Con frecuencia las chicas viven en casa de sus padres hasta casarse; pocas abandonan el hogar para buscarse apartamento.
4. —Al viajar dentro de mi país, es necesario que uno lleve la tarjeta de identidad para conseguir alojamiento en un hotel. Cada ciudadano tiene su «cédula personal» la que es indispensable para ciertos negocios.
5. —La mayoría de la gente viaja dentro del país en tren o en autobús.

6. —De noche, mucha gente sale a pasear por las calles principales de la ciudad. A algunas personas les gusta mirar las vitrinas; a otras les divierte mirarse entre sí. Hay muchos cafés, algunos al aire libre, donde uno puede sentarse para conversar con los amigos.

C. Actividad

Prepare Vd. un diálogo sobre una de las siguientes situaciones, utilizando el vocabulario indicado.

1. Una visita a la agencia de viajes para pedir información acerca de un vuelo a Buenos Aires.

   aerolínea *airline;* aeropuerto *airport;* avión *(m) airplane;* boleto sencillo *one-way ticket;* boleto de ida y vuelta *round-trip-ticket;* directo *direct;* enlace *(m) connection;* hacer escala *to make a stop-over;* pagar al contado *to pay cash;* visa *visa (entry permit);* abordar *to board;* abrocharse el cinturón *to fasten the seat belt;* azafata o aeromoza *stewardess;* aterrizar *to land;* despegar *to take off;* facturar (el equipaje) *to check (baggage);* portal *(m) gate*

2. En la estación de autobuses para pedir información sobre el horario de viajes a Córdoba.

   carretera *highway;* ¿cuanto tiempo dura? *how long does it take?;* hora de salida (llegada) *departure (arrival) time;* parada *stop;* paisaje *(m) landscape;* ruta *route;* ventanilla *(bus) window* (See also the appropriate vocabulary under 1.)

3. Las preparaciones del coche para un viaje largo.

   gasolinera *service station;* engrasar *to grease;* funcionar *to run (motor);* llenar el tanque *to fill the tank;* reparar *to repair;* revisar *to check;* aceite *(m) oil;* acumulador *(m) battery;* bocina *horn;* carnet *(m) driver's license;* correa del ventilador *fan belt;* faro *headlight;* filtro *filter;* frenos *brakes;* garaje *(m) garage;* gasolina *gasoline;* gato *jack;* limpiaparabrisas *windshield wiper;* llanta o neumático *tire;* parabrisas *windshield;* radiador *(m) radiator;* rueda *wheel;* volante *(m) steering wheel*

4. En la estación del ferrocarril, esperando abordar el tren.

   andén *(m) platform;* boleto de primera (segunda) clase *first (second) class ticket;* coche cama *(m) sleeping car;* coche comedor *(m) dining car;* contraseña (o el talón) de equipaje *baggage check (ticket);* despacho de equipajes *luggage office;* minutos de retraso *minutes late;* quiosco *newsstand;* sala de espera *waiting room;* tren expreso *express train;* ventanilla *(train) window*

Appendix

Cardinal numbers

1	uno	30	treinta
2	dos	31	treinta y uno
3	tres	40	cuarenta
4	cuatro	50	cincuenta
5	cinco	60	sesenta
6	seis	70	setenta
7	siete	80	ochenta
8	ocho	90	noventa
9	nueve	100	cien
10	diez	101	ciento uno
11	once	200	doscientos, -as
12	doce	300	trescientos, -as
13	trece	400	cuatrocientos, -as
14	catorce	500	quinientos, -as
15	quince	600	seiscientos, -as
16	dieciséis (or diez y seis)	700	setecientos, -as
17	diecisiete (diez y siete)	800	ochocientos, -as
18	dieciocho (diez y ocho)	900	novecientos, -as
19	diecinueve (diez y nueve)	1.000	mil
20	veinte	1.100	mil cien
21	veintiuno (veinte y uno)	2.000	dos mil
22	veintidós (veinte y dos)	1.000.000	un millón (de)
	etc.	2.000.000	dos millones (de)

Metric units of measurement

1 centímetro	=	.3937 of an inch (less than half an inch)
1 metro	=	39.37 inches (about 1 yard and 3 inches)
1 kilómetro (1.000 metros)	=	.6213 of a mile (about ⅝ of a mile)
1 gramo	=	.03527 of an ounce
100 gramos	=	3.527 ounces (slightly less than ¼ of a pound)
1.000 gramos (1 kilo)	=	32.27 ounces (about 2.2 pounds)
1 litro	=	1.0567 quarts (slightly over a quart, liquid)
1 hectárea	=	2.471 acres

Conversion formulas

From Fahrenheit (= F) to Celsius (or Centigrade = C):

$$C = \frac{5}{9} (F - 32)$$

From Celsius to Fahrenheit:

$$F = \frac{9}{5} C + 32$$

0°C	=	32°F (freezing point)
37°C	=	98.6°F (normal body temperature)
100°C	=	212°F (boiling point)

Regular Verbs

	FIRST CONJUGATION	SECOND CONJUGATION	THIRD CONJUGATION
		INDICATIVE MOOD	
Infinitive	hablar *to speak*	aprender *to learn*	vivir *to live*
Present Participle	hablando *speaking*	aprendiendo *learning*	viviendo *living*
Past Participle	hablado *spoken*	aprendido *learned*	vivido *lived*
Present Indicative	*I speak, am speaking, do speak* hablo hablas habla hablamos habláis hablan	*I learn, am learning, do learn* aprendo aprendes aprende aprendemos aprendéis aprenden	*I live, am living, do live* vivo vives vive vivimos vivís viven
Imperfect Indicative	*I was speaking, used to speak, spoke* hablaba hablabas hablaba hablábamos hablabais hablaban	*I was learning, used to learn, learned* aprendía aprendías aprendía aprendíamos aprendíais aprendían	*I was living, used to live, lived* vivía vivías vivía vivíamos vivíais vivían
Preterite Indicative	*I spoke, did speak* hablé hablaste habló hablamos hablasteis hablaron	*I learned, did learn* aprendí aprendiste aprendió aprendimos aprendisteis aprendieron	*I lived, did live* viví viviste vivió vivimos vivisteis vivieron

	FIRST CONJUGATION	**SECOND CONJUGATION**	**THIRD CONJUGATION**
Future Indicative	*I shall speak, I will speak*	*I shall learn, I will learn*	*I shall live, I will live*
	hablaré	aprenderé	viviré
	hablarás	aprenderás	vivirás
	hablará	aprenderá	vivirá
	hablaremos	aprenderemos	viviremos
	hablaréis	aprenderéis	viviréis
	hablarán	aprenderán	vivirán

IMPERATIVE MOOD (Commands)

Familiar Commands, Affirmative	*Speak!*	*Learn!*	*Live!*
	habla tú	aprende tú	vive tú
	hablad vosotros	aprended vosotros	vivid vosotros
Familiar Commands, Negative	*Don't speak!*	*Don't learn!*	*Don't live!*
	no hables	no aprendas	no vivas
	no habléis	no aprendáis	no viváis
Formal Commands	*Speak!*	*Learn!*	*Live!*
	hable usted	aprenda usted	viva usted
	hablen ustedes	aprendan ustedes	vivan ustedes

SUBJUNCTIVE MOOD

Present Subjunctive	*(that) I*	*(may) speak*	*(that) I*	*(may) learn*	*(that) I*	*(may) live*
	(que) (yo) hable		(que) (yo) aprenda		(que) (yo) viva	
	hables		aprendas		vivas	
	hable		aprenda		viva	
	hablemos		aprendamos		vivamos	
	habléis		aprendáis		viváis	
	hablen		aprendan		vivan	
Past Subjunctive (-ra form)	*(that) I*	*(might) speak*	*(that) I*	*(might) learn*	*(that) I*	*(might) live*
	(que) (yo) hablara		(que) (yo) aprendiera		(que) (yo) viviera	
	hablaras		aprendieras		vivieras	
	hablara		aprendiera		viviera	
	habláramos		aprendiéramos		viviéramos	
	hablarais		aprendierais		vivierais	
	hablaran		aprendieran		vivieran	

	FIRST CONJUGATION	SECOND CONJUGATION	THIRD CONJUGATION
	(that) I (might) speak	*(that) I (might) learn*	*(that) I (might) live*
Past Subjunctive (-se form)	(que) (yo) hablase hablases hablase hablásemos hablaseis hablasen	(que) (yo) aprendiese aprendieses aprendiese aprendiésemos aprendieseis aprendiesen	(que) (yo) viviese vivieses viviese viviésemos vivieseis viviesen
Conditional Indicative	*I would speak, I should speak* hablaría hablarías hablaría hablaríamos hablaríais hablarían	*I would learn, I should learn* aprendería aprenderías aprendería aprenderíamos aprenderíais aprenderían	*I would live, I should live* viviría vivirías viviría viviríamos viviríais vivirían
Present Perfect Indicative	*I have spoken* he hablado has hablado ha hablado hermos hablado habéis hablado han hablado	*I have learned* he aprendido has aprendido ha aprendido hemos aprendido habéis aprendido han aprendido	*I have lived* he vivido has vivido ha vivido hemos vivido habéis vivido han vivido
Past Perfect Indicative	*I had spoken* había hablado habías hablado había hablado habíamos hablado habíais hablado habían hablado	*I had learned* había aprendido habías aprendido había aprendido habíamos aprendido habíais aprendido habían aprendido	*I had lived* había vivido habías vivido había vivido habíamos vivido habíais vivido habían vivido
Future Perfect Indicative	*I shall have spoken* habré hablado habrás hablado habrá hablado habremos hablado habréis hablado habrán hablado	*I shall have learned* habré aprendido habrás aprendido habrá aprendido habremos aprendido habréis aprendido habrán aprendido	*I shall have lived* habré vivido habrás vivido habrá vivido habremos vivido habréis vivido habrán vivido

	FIRST CONJUGATION	SECOND CONJUGATION	THIRD CONJUGATION
Conditional Perfect Indicative	*I would (should) have spoken* habría hablado habrías hablado habría hablado habríamos hablado habríais hablado habrían hablado	*I would (should) have learned* habría aprendido habrías aprendido habría aprendido habríamos aprendido habríais aprendido habrían aprendido	*I would (should) have lived* habría vivido habrías vivido habría vivido habríamos vivido habríais vivido habrían vivido
Present Perfect Subjunctive	*(that) I (may) have spoken* haya hablado hayas hablado haya hablado hayamos hablado hayáis hablado hayan hablado	*(that) I (may) have learned* haya aprendido hayas aprendido haya aprendido hayamos aprendido hayáis aprendido hayan aprendido	*(that) I (may) have lived* haya vivido hayas vivido haya vivido hayamos vivido hayáis vivido hayan vivido
Past Perfect Subjunctive	*(that) I (might) have spoken* hubiera (-se) hablado hubieras hablado hubiera hablado hubiéramos hablado hubierais hablado hubieran hablado	*(that) I (might) have learned* hubiera (-se) aprendido hubieras aprendido hubiera aprendido hubiéramos aprendido hubierais aprendido hubieran aprendido	*(that) I (might) have lived* hubiera (-se) vivido hubieras vivido hubiera vivido hubiéramos vivido hubierais vivido hubieran vivido

Irregular Verbs

andar *to walk*

Preterite: anduve, anduviste, anduvo; anduvimos, anduvisteis, anduvieron
Past Subjunctive: anduviera (-se), anduvieras, anduviera; anduviéramos, anduvierais, anduvieran

caer *to fall*

Present Participle: cayendo
Past Participle: caído
Present: caigo, caes, cae; caemos, caéis, caen
Preterite: caí, caíste, cayó; caímos, caísteis, cayeron
Present Subjunctive: caiga, caigas, caiga; caigamos, caigáis, caigan
Past Subjunctive: cayera (-se), cayeras, cayera; cayéramos, cayerais, cayeran
Formal Commands: caiga usted, caigan ustedes

dar *to give*

Present: doy, das, da; damos, dáis, dan
Preterite: di, diste, dio; dimos, disteis, dieron
Present Subjunctive: dé, des, dé; demos, deis, den
Past Subjunctive: diera (-se), dieras, diera; diéramos, dierais, dieran
Formal Commands: dé usted, den ustedes

decir *to tell, to say*

Present Participle: diciendo
Past Participle: dicho
Present: digo, dices, dice; decimos, decís, dicen
Preterite: dije, dijiste, dijo; dijimos, dijisteis, dijeron
Future: diré, dirás, dirá; diremos, diréis, dirán
Conditional: diría, dirías, diría; diríamos, diríais, dirían
Present Subjunctive: diga, digas, diga; digamos, digáis, digan
Past Subjunctive: dijera (-se), dijeras, dijera; dijéramos, dijerais, dijeran
Familiar Singular Command: di tú
Formal Commands: diga usted, digan ustedes

estar *to be*

Present: estoy, estás, está; estamos, estáis, están
Preterite: estuve, estuviste, estuvo; estuvimos, estuvisteis, estuvieron
Present Subjunctive: esté, estés, esté; estemos, estéis, estén
Past Subjunctive: estuviera (-se), estuvieras, estuviera; estuviéramos, estuvierais, estuvieran
Formal Commands: esté usted, estén ustedes

haber   *to have (auxiliary verb)*

Present: he, has ha; hemos, habéis, han
Preterite: hube, hubiste, hubo; hubimos, hubisteis, hubieron
Future: habré, habrás, habrá; habremos, habréis, habrán
Conditional: habría, habrías, habría; habríamos, habríais, habrían
Present Subjunctive: haya, hayas, haya; hayamos, hayáis, hayan
Past Subjunctive: hubiera (-se), hubieras, hubiera; hubiéramos, hubierais,
            hubieran

hacer   *to do, to make*

Past Participle: hecho
Present: hago, haces, hace; hacemos, hacéis, hacen
Preterite: hice, hiciste, hizo; hicimos, hicisteis, hicieron
Future: haré, harás, hará; haremos, haréis, harán
Conditional: haría, harías, haría; haríamos, haríais, harían
Present Subjunctive: haga, hagas, haga; hagamos, hagáis, hagan
Past Subjunctive: hiciera (-se), hicieras, hiciera; hiciéramos, hicierais, hicieran
Familiar Singular Command: haz tú
Formal Commands: haga usted, hagan ustedes

ir   *to go*

Present Participle: yendo
Present: voy, vas, va; vamos, vais, van
Imperfect: iba, ibas, iba; íbamos, ibais, iban
Preterite: fui, fuiste, fue; fuimos, fuisteis, fueron
Present Subjunctive: vaya, vayas, vaya; vayamos, vayáis, vayan
Past Subjunctive: fuera (-se), fueras, fuera; fuéramos, fuerais, fueran
Familiar Singular Command: ve tú
Formal Commands: vaya usted, vayan ustedes

oír   *to hear, to listen to*

Present Participle: oyendo
Past Participle: oído
Present: oigo, oyes, oye; oímos, oís, oyen
Preterite: oí, oíste, oyó; oímos, oísteis, oyeron
Present Subjunctive: oiga, oigas, oiga; oigamos, oigáis, oigan
Past Subjunctive: oyera (-se), oyeras, oyera; oyéramos, oyerais, oyeran
Formal Commands: oiga usted, oigan ustedes

poder (ue, u) *to be able, can*

Present Participle: pudiendo
Present: puedo, puedes, puede; podemos, podéis, pueden
Preterite: pude, pudiste, pudo; pudimos, pudisteis, pudieron
Future: podré, podrás, podrá; podremos, podréis, podrán
Conditional: podría, podrías, podría; podríamos, podríais, podrían
Present Subjunctive: pueda, puedas, pueda; podamos, podáis, puedan
Past Subjunctive: pudiera (-se), pudieras, pudiera; pudiéramos, pudierais,
      pudieran

poner *to put, to place*

Past Participle: puesto
Present: pongo, pones, pone; ponemos, ponéis, ponen
Preterite: puse, pusiste, puso; pusimos, pusisteis, pusieron
Future: pondré, pondrás, pondrá; pondremos, pondréis, pondrán
Conditional: pondría, pondrías, pondría; pondríamos, pondríais, pondrían
Present Subjunctive: ponga, pongas, ponga; pongamos, pongáis, pongan
Past Subjunctive: pusiera (-se), pusieras, pusiera; pusiéramos, pusierais,
      pusieran
Familiar Singular Command: pon tú
Formal Commands: ponga usted, pongan ustedes
  Another verb conjugated like **poner** is **proponer.**

querer(ir) *to wish, to want; (with* a) to love

Present: quiero, quieres, quiere; queremos, queréis, quieren
Preterite: quise, quisiste, quiso; quisimos, quisisteis, quisieron
Future: querré, querrás, querrá; querremos, querréis, querrán
Conditional: querría, querrías, querría; querríamos, querríais, querrían
Present Subjunctive: quiera, quieras, qiera; queramos, queráis, quieran
Past Subjunctive: quisiera (-se), quisieras, quisiera; quisiéramos, quisierais,
      quisieran
Formal Commands: quiera usted, quieran ustedes

reír (i, i) *to laugh*

Present Participle: riendo
Past Participle: reído
Present: rió, ríes, ríe; reímos, reís, ríen
Preterite: reí, reíste, rio; reímos, reísteis, rieron
Present Subjunctive: ría, rías, ría; ríamos, ríais, rían
Past Subjunctive: riera (-se), rieras, riera; riéramos, rierais, rieran
Formal Commands: ría usted, rían ustedes
  Another verb conjugated like **reír** is **sonreír.**

saber *to know, to know how to*

Present: sé, sabes, sabe; sabemos, sabéis, saben
Preterite: supe, supiste, supo; supimos, supisteis, supieron
Future: sabré, sabrás, sabrá; sabremos, sabréis, sabrán
Conditional: sabría, sabrías, sabría; sabríamos, sabríais, sabrían
Present Subjunctive: sepa, sepas, sepa; sepamos, sepáis, sepan
Past Subjunctive: supiera (-se), supieras, supiera; supiéramos, supierais,
        supieran
Formal Commands: sepa usted, sepan ustedes

salir *to leave, to go out*

Present: salgo, sales, sale; salimos, salís, salen
Future: saldré, saldrás, saldrá; saldremos, saldréis, saldrán
Conditional: saldría, saldrías, saldría; saldríamos, saldríais, saldrían
Present Subjunctive: salga, salgas, salga; salgamos, salgáis, salgan
Familiar Singular Command: sal tú
Formal Commands: salga usted, salgan ustedes

seguir (i, i) *to follow, to continue*

Present Participle: siguiendo
Present: sigo, sigues, sigue; seguimos, seguís, siguen
Preterite: seguí, seguiste, siguió; seguimos, seguisteis, siguieron
Present Subjunctive: siga, sigas, siga; sigamos, sigáis, sigan
Past Subjunctive: siguiera (-se), siguieras, siguiera; siguiéramos, siguierais,
        siguieran
Formal Commands: siga usted, sigan ustedes
    Another verb conjugated like **seguir** is **conseguir.**

ser *to be*

Present: soy, eres, es; somos, sois, son
Imperfect: era, eras, era; éramos, erais, eran
Preterite: fui, fuiste, fue; fuimos, fuisteis, fueron
Present Subjunctive: sea, seas, sea; seamos, seáis, sean
Past Subjunctive: fuera (-se), fueras, fuera; fuéramos, fuerais, fueran
Familiar Singular Command: sé tú
Formal Commands: sea usted, sean ustedes

tener *to have*

Present: tengo, tienes, tiene; tenemos, tenéis, tienen
Preterite: tuve, tuviste, tuvo; tuvimos, tuvisteis, tuvieron
Future: tendré, tendrás, tendrá; tendremos, tendréis, tendrán
Conditional: tendría, tendrías, tendría; tendríamos, tendríais, tendrían
Present Subjunctive: tenga, tengas, tenga; tengamos, tengáis, tengan
Past Subjunctive: tuviera (-se), tuvieras, tuviera; tuviéramos, tuvierais, tuvieran
Familiar Singular Command: ten tú
Formal Commands: tenga usted, tengan ustedes
   Other words conjugated like **tener** are **contener, detener** and **obtener.**

traducir *to translate*

Present: traduzco, traduces, traduce; traducimos, traducís, traducen
Preterite: traduje, tradujiste, tradujo; tradujimos, tradujisteis, tradujeron
Present Subjunctive: traduzca, traduzcas, traduzca; traduzcamos, traduzcáis, traduzcan
Past Subjunctive: tradujera (-se), tradujeras, tradujera; tradujéramos, tradujerais, tradujeran
Formal Commands: traduzca usted, traduzcan ustedes

traer *to bring*

Present Participle: trayendo
Past Participle: traído
Present: traigo, traes, trae; traemos, traéis, traen
Preterite: traje, trajiste, trajo; trajimos, trajisteis, trajeron
Present Subjunctive: traiga, traigas, traiga; traigamos, traigáis, traigan
Past Subjunctive: trajera (-se), trajeras, trajera; trajéramos, trajerais, trajeran
Formal Commands: traiga usted, traigan ustedes

valer *to be worth*

Present: valgo, vales, vale; valemos, valéis, valen
Future: valdré, valdrás, valdrá; valdremos, valdréis, valdrán
Conditional: valdría, valdrías, valdría; valdríamos, valdríais, valdrían
Present Subjunctive: valga, valgas, valga; valgamos, valgáis, valgan
Familiar Singular Command: val tú
Formal Commands: valga usted, valgan ustedes

venir *to come*

Present Participle: viniendo
Present: vengo, vienes, viene; venimos, venís, vienen
Preterite: vine, viniste, vino; vinimos, vinisteis, vinieron
Future: vendré, vendrás, vendrá; vendremos, vendréis, vendrán
Conditional: vendría, vendrías, vendría; vendríamos, vendríais, vendrían
Present Subjunctive: venga, vengas, venga; vengamos, vengáis, vengan
Past Subjunctive: viniera (-se), vinieras, viniera; viniéramos, vinierais,
　　　　　　　　　vinieran
Familiar Singular Command: ven tú
Formal Commands: venga usted, vengan ustedes
　　Another verb conjugated like **venir** is **convenir.**

ver *to see*

Past Participle: visto
Present: veo, ves, ve; vemos, veis, ven
Imperfect: veía, veías, veía; veíamos, veíais, veían
Present Subjunctive: vea, veas, vea; veamos, veáis, vean
Formal Commands: vea usted, vean ustedes

Stem-Changing Verbs

1st or 2d Conjugation, o > ue

contar (ue) *to count*

Present: cuento, cuentas, cuenta; contamos, contáis, cuentan
Present Subjunctive: cuente, cuentes, cuente; contemos, contéis, cuenten
Formal Commands: cuente usted, cuenten ustedes

1st or 2d Conjugation, e > ie

perder (ie) *to lose*

Present: pierdo, pierdes, pierde; perdemos, perdéis, pierden
Present Subjunctive: pierda, pierdas, pierda; perdamos, perdáis, pierdan
Formal Commands: pierda usted, pierdan ustedes

3d Conjugation, e > i

pedir (i, i) *to ask for*

Present Participle: pidiendo
Present: pido, pides, pide; pedimos, pedís, piden
Preterite: pedí, pediste, pidió; pedimos, pedisteis, pidieron
Present Subjunctive: pida, pidas, pida; pidamos, pidáis, pidan

Past Subjunctive: pidiera (-se), pidieras, pidiera; pidiéramos, pidierais,
                       pidieran
Formal Commands: pida usted, pidan ustedes

3d Conjugation, o > ue, o > u

dormir (ue, u) *to sleep*

Present Participle: durmiendo
Present: duermo, duermes, duerme; dormimos, dormís, duermen
Preterite: dormí, dormiste, durmió; dormimos, dormisteis, durmieron
Present Subjunctive: duerma, duermas, duerma; durmamos, durmáis,
                            duerman
Past Subjunctive: durmiera (-se), durmieras, durmiera; durmiéramos,
                       durmierais, durmieran
Formal Commands: duerma usted, duerman ustedes

3d Conjugation, e > ie, e > i

sentir (ie, i) *to feel sorry, to regret, to feel*

Present Participle: sintiendo
Present: siento, sientes, siente; sentimos, sentís, sienten
Preterite: sentí, sentiste, sintió; sentimos, sentisteis, sintieron
Present Subjunctive: sienta, sientas, sienta; sintamos, sintáis, sientan
Past Subjunctive: sintiera (-se), sintieras, sintiera; sintiéramos, sintierais,
                       sintieran
Formal Commands: sienta usted, sientan ustedes

Spelling-Changing Verbs

Verbs Ending in -gar

pagar *to pay (for)*

Preterite: pagué, pagaste, pagó; pagamos, pagasteis, pagaron
Present Subjunctive: pague, pagues, pague; paguemos, paguéis, paguen
Formal Commands: pague usted, paguen ustedes
     Other verbs conjugated like **pagar** are **apagar, castigar, colgar,
entregar, llegar,** and **rogar.**

Verbs Ending in -car

tocar *to play*

Preterite: toqué, tocaste, tocó; tocamos, tocasteis, tocaron
Present Subjunctive: toque, toques, toque; toquemos, toquéis, toquen

Formal Commands: toque usted, toquen ustedes
> Other verbs conjugated like **tocar** are **acercarse, equivocarse, explicar, indicar, platicar, sacar,** and **sacrificar.**

Verbs Ending in -**ger** or -**gir**

coger   *to take hold of (things)*

Present: cojo, coges, coge; cogemos, cogéis, cogen
Present Subjunctive: coja, cojas, coja; cojamos, cojáis, cojan
Formal Commands: coja usted, cojan ustedes
> Other verbs conjugated like **coger** are **dirigirse, escoger, fingir, proteger,** and **recoger.**

Verbs Ending in -**zar**

cruzar   *to cross*

Preterite: cruce, cruzaste, cruzó; cruzamos, cruzasteis, cruzaron
Present Subjunctive: cruce, cruces, cruce; crucemos, crucéis, crucen
Formal Commands: cruce usted, crucen ustedes
> Other verbs conjugated like **cruzar** are **aterrizar, comenzar, empezar, gozar,** and **rezar.**

2d and 3d Conjugation Verbs with Stem Ending in **a, e, o**

leer   *to read*

Present Participle: leyendo
Past Participle: leído
Preterite: leí, leíste, leyó; leímos, leísteis, leyeron
Past Subjunctive: leyera (-se), leyeras, leyera; leyéramos, leyerais, leyeran
> Other verbs conjugated in part like **leer** are **caer, creer, oír,** and **traer.**

Verbs Ending in -**uir** (except -**guir** and -**quir**)

huir   *to flee*

Present Participle: huyendo
Present: huyo, huyes, huye; huimos, huís, huyen
Preterite: huí, huiste, huyó; huimos, huisteis, huyeron
Present Subjunctive: huya, huyas, huya; huyamos, huyáis, huyan
Past Subjunctive: huyera (-se), huyeras, huyera; huyéramos, huyerais, huyeran
Formal Commands: huya usted, huyan ustedes
> Other verbs conjugated like **huir** are **construir, contribuir,** and **destruir.**

Verbs Ending in -**cer** or -**cir** proceded by a vowel (Inceptive)

conocer *to know*

Present: conozco, conoces, conoce; conocemos, conocéis, conocen
Present Subjunctive: conozca, conozcas, conozca; conozcamos, conozcáis, conozcan
Formal Commands: conozca usted, conozcan ustedes
Other verbs conjugated like **conocer** are **aparecer, crecer, desaparecer, nacer, ofrecer, parecer, pertenecer,** and **reconocer.**

Verbs Ending in -**cer** preceded by a consonant

vencer *to conquer*

Present: venzo, vences, vence; vencemos, vencéis, vencen
Present Subjunctive: venza, venzas, venza; venzamos, venzáis, venzan
Formal Command: venza usted, venzan ustedes

Vocabulario

This vocabulary does not include Spanish words that are exact cognates of English ones. The gender of nouns is listed except for masculine nouns ending in **-a, -dad, -tad, -tud,** or **-ión.** Adverbs ending in **-mente** are not listed if the adjectives from which they are derived are included.

Abbreviations

adj	adjective	*part*	participle
adv	adverb	*pl*	plural
f	feminine	*pret*	preterite
m	masculine	*pron*	pronoun
n	noun	*refl*	reflexive

___ A ___

abandonar to abandon;
  abandonarse to let oneself go,
  give in to
abarcar to include, comprise
abierto,-a open; opened
abogado,-a attorney, advocate
abordar to board (plane, train, etc.)
abrazar to embrace
abreviatura abbreviation
abril *m* April
abrir to open
absoluto absolute
abuela grandmother
abuelo grandfather; **los**
  abuelos grandparents
abundar to abound, be plentiful
aburrido,-a bored, boring
acabar to finish; **acabar de** to have
  just
acaso perhaps, maybe
accidente *m* accident
acción action, act
aceptación acceptance
aceptar to accept
acerca (de) about, concerning
acercarse to draw near, approach
acompañar to accompany
aconsejar to advise, counsel
acontecimiento event, happening
acontecer to happen, occur
acordarse to remember
acostarse to go to bed, lie down
actitud attitude
actividad activity
activo,-a active
actual current, present,
  contemporary
actuar to act, act as
Acuario Aquarius
acuerdo accord, agreement
adaptarse to adapt to, adjust
adecuado,-a adequate, appropriate
además besides, in addition;
  además de in addition to
adentro inside, within
adiós good-bye
administración administration, front
  desk (of a hotel)

adonde *adv* where, to where;
  ¿adónde? where?
aduana customs, customs-house
aduanero,-a customs official
adulto,-a *n and adj* adult
aeropuerto airport
afectar to affect, pretend
aflicción affliction, malady, disease
agencia agency, bureau
agente *m and f* agent, official,
  representative
agosto August
agradable agreeable, pleasant
agradecer to be thankful for; to
  thank for
agricultor,-ra agriculturist, farmer
agua water
aguantar to put up with, bear
ahí *adv* there, over there
ahora now; **ahora mismo** right
  now
ahorrar to save (as money)
aire *m* air
aislado,-a isolated, separate
ajedrez *m* chess
ajeno,-a alien, strange
alcanzar to reach, achieve, gain,
  catch up with
alegar to allege, claim
alegrarse to be happy, glad;
  alegrarse de to be glad that
alegre happy, glad
alejarse to leave, move away
alemán,-na German
Alemania Germany
algo something; *adv* somewhat
alguien *m* someone
algún, alguno,-a someone;
  algunos,-as some
alivio relief; **¡qué alivio!** what a
  relief!
alma soul, spirit
almorzar to eat lunch, brunch
almuerzo lunch, brunch
alojamiento lodging
alojarse to take lodging
alquilar to rent, hire
alrededor (de) around
alto,-a high, tall
alumno,-a pupil

allá there, yonder, over there
allí there, in that place
amable friendly, amiable, nice
amanecer to dawn, get up
amante *m or f* lover, beloved
amar to love
amargura bitterness
ambicioso,-a ambitious
amenaza threat
amenazar to threaten, menace
americano,-a of the Americas;
(sometimes used improperly to refer
to the United States as opposed to
Spanish America)
amigo,-a friend
amistad friendship
amor *m* love
analizar to analyze
andar to go, walk, move
angelito little angel
anglicismo Anglicism (word derived
from English)
anglo-sajón,-na Anglo-Saxon (used
frequently to refer to all inhabitants
of the United States who are not of
Latin descent)
angustia anguish, sorrow
animado,-a animated (as cartoons)
anoche last night
ante before, in front of
antecedente *m* precedent
anteojos *m pl* eyeglasses
antepasado,-a ancestor, predecessor
anterior previous, prior
antes (de) before, earlier; **antes
que** rather than
anti- prefix meaning against
antiguo,-a old, antique, ancient
antipático,-a disagreeable,
unpleasant
añadir to add
año year
apagar to put out, turn off
aparecer to appear
apariencia appearance
apartar to separate, move apart
apartamento apartment
apenas barely, hardly, just, only
aportar to contribute,add
apoyar to support, uphold, aid

apoyo support, aid
aprender to learn
aprobar to pass (a course, exam,
etc.); to approve
apunte *m* note, memo, reminder
apurarse to hurry up, make haste
aquel, aquella that; **aquello**
pron that; **aquellos,-as** those
aquí here, at this place
árabe *adj* Arabic; *n m* Arabic
language
árbol *m* tree
área region, area
argumento plot, story line (of a
novel, play, etc.)
armario closet, wardrobe
arquitecto,-a architect
arreglar to arrange, set right, repair
arreglo arrangement, repair
arrepentirse to repent, regret
artículo article
artista *m or f* artist
asado,-a roasted, baked
ascender to rise
asegurar to assure; **asegurarse** to
make sure; to satisfy oneself
así so thus, in this manner, that way;
así que therefore, so
asiento seat
asistencia attendance
asistir to attend
asociar to associate with
aspecto aspect, appearance
astrología astrology
asunto matter, subject, concern
atacar to attack, assault
atención attention
ateo,-a atheist; *adj* atheistic
atractivo,-a *adj* attractive; *n*
m attraction
atraer to attract
atrás (de) behind, in back of
atrasado,-a backward, behind, slow
(as a watch, clock, etc.)
atreverse to dare
atribuir to attribute
atributo attribute, characteristic
auditorio auditorium, audience
aun even
aún still, yet

aunque although
autobús *m* bus
automático,-a automatic
automóvil *m* automobile
autor,-ra author
autoridad authority; *pl* officials
avergonzado,-a ashamed
averiguar to find out, research
avión *m* airplane
ayer yesterday
ayuda to help, assistance, aid
ayudante *m or f* assistant, aide, helper
ayudar to help, assist
azteca *m or f, n and adj* Aztec
azul *adj* blue, azure; *n m* the color blue

____ **B** ____

bachillerato Bachelor's degree; course of study leading to a secondary school diploma
bailar to dance
baile *m* dance
bajar to lower; to go down (stairs, hill, etc.)
bajo,-a low; **bajo** *adv* beneath, under
baloncesto basketball
banco bank
bandido,-a bandit
bañarse to bathe, take a bath
baño bath; swim; **traje de baño** bathing suit
barato,-a inexpensive, cheap
barba beard; chin
barrio neighborhood, section or district of a city; used colloquially for "ghetto"
basarse to base oneself on; to be based on
base *f* basis, base
básquetbol *m* basketball
bastante *adj* enough, sufficient; *adv* sufficiently, quite, rather
batalla battle
batata sweet potato, yam
beber to drink

bebida drink, beverage
beca grant, scholarship
béisbol *m* baseball
bello,-a beautiful
biblioteca library
bicicleta bicycle
bien well, fine
bienestar *m* well-being, welfare
billete *m* ticket; bill
blanco,-a white; *n m* the color white
blasfemia blasphemy, affront
blusa blouse
boca mouth
bocadito canapé, appetizer
bocado bite, taste
boda wedding
boleto ticket
bolsa purse
bondadoso,-a kind, good, good-natured
bonito,-a pretty
boquita diminutive of **boca**
borracho,-a drunk
bote *m* small boat, canoe
boxeador,-ra boxer, prize-fighter
brazo arm
breve brief, short
bribón,-na rascal
bromear to joke, kid
bruto,-a idiot, brute; *adj* stupid, idiotic, gross
buen, bueno,-a good; *adv* well; **estar bueno** to be well
burlarse (de) to mock, laugh at
buscar to look for, seek
butaca theater (movie, opera, etc.) seat; easy chair

____ **C** ____

caballero gentleman
caballito small horse
caber to fit
cabeza head
cacao cacao, cocoa, chocolate tree
cada each
cadáver *m* corpse, dead body
caer to fall
café *m* coffee; café

cafecito small cup of coffee, demitasse
cafetería restaurant, café
caída fall
caimán *m* crocodile
caja box; cashier, ticket booth
calentar to heat up
calidad quality
caliente hot
callarse to be quiet, become quiet
calle *f* street
calmarse to calm down
cámara camera; chamber
cambiar to change
cambio change
caminar to walk, go, travel
camino road, street
camión *m* bus, truck
camisa shirt
campeonato championship
campesino,-a peasant, country person; *adj* rural, pertaining to peasants
campo field
cáncer *m* cancer
canción song
candidato candidate
cansado,-a tired
cantar to sing
cantina bar, tavern, canteen
caña sugar cane; pole, cane
capacidad capacity, skill, ability
capaz capable, able
capital *f* capital of a country or state; *m* investment money
capítulo chapter
Capricornio Capricorn
carácter *m* character, nature
característica characteristic
caricatura caricature
cariño affection
cariñoso,-a affectionate, loving
carne *f* meat, flesh
caro,-a dear, expensive
carrera career, race, course
carro car, cart, coach
carta letter; chart
casa house; **en casa** at home
casarse to get married; **casarse con** to marry

casi almost
casimir *m* cashmere
caso case, instance; **en caso de** in case of
castigar to punish
castizo,-a pure
casucha shack, hut
catedral *f* cathedral
católico,-a Catholic
causa cause
causar to cause
ceder to cede, give up
cédula document; **cédula personal** identity card
célebre celebrated, famous
cena supper, evening meal
cenar to dine, have dinner or supper
centavito cent, pittance
centro center, downtown
Centroamérica Central America
centroamericano,-a Central American
cerca close; **cerca de** near, close to
cercano,-a nearby
cerebral cerebral, pertaining to the mind or brain
cerrar to close
ciego,-a blind
cien one hundred; **cientos,-as** hundreds
ciencia science
científico,-a scientific; *n* scientist
cierto,-a certain; **es cierto** it is true
cinco five
cincuenta fifty
cine *m* movies, movie theater
cinematográfico,-a cinematographic
cinta tape (sound); ribbon
circunstancia circumstance
cirujano,-a surgeon
cita appointment, date
ciudad city
ciudadanía citizenship
ciudadano,-a citizen
claridad clarity, light; clearing
claro,-a clear, light; **¡claro!** of course!; **claro que** of course
clase *f* class, kind, type
clero clergy
cliente *m or f* client, customer
clima *m* climate

cobrar to charge (money)
coche *m* automobile; coach
cocina kitchen
codazo blow with the elbow
coger to take, pick up
colegio secondary school, high school
colgar to hang
colmo pinnacle; **esto es el colmo** this is the last straw
colocación placement, location
colocar to place, locate
comentar to comment, mention
comenzar to begin, start
comer to eat
comercio commerce, business
comestible *m* food, edible substance; *pl* foodstuff, provisions
comida meal
comité *m* committee
como as, like, how, about; **¿cómo?** how?, what?
cómodo,-a comfortable
compañero,-a companion, mate
compañía company
comparar to compare
completar to complete, fill out
completo,-a complete, full
complicado,-a complicated
componerse to be composed of, consist of
composición composition
comprar to buy, purchase
comprender to understand, comprehend
común common
comunicar to communicate, tell
con with; **con tal que** provided that
concentrar to concentrate
concentración concentration
conciencia consciousness; conscience
concierto concert
condenar to condemn, curse
cóndor *m* condor (eagle-like bird of South America)
conducir to conduct, lead
conferencia lecture, conference
confrontar to confront, face, oppose

congestionado,-a congested, crowded
conjunto group; musical group
conmigo with me
conocer to know; to meet
conocimiento knowledge, awareness
conquista conquest
conquistar to conquer, defeat, seduce
conseguir to achieve, get; to manage to
consejero,-a advisor
consejo advice
conserje *m* manager, desk clerk (hotel)
conservador *m* conservative; *adj* **conservador,-ra** conservative
considerar to consider, regard
consideración consideration
consigo with him/herself
consistir (en) to consist of
constante constant
construir to construct, build
consuelo consolation
contacto contact
contado: al contado in cash
contaminación contamination
contaminar to contaminate, pollute
contar to count; **contar con** to count on
contemporáneo,-a contemporary
contener to contain
contento,-a content, happy
contestar to answer
contigo with you
continuación continuation
continuar to continue, go on
contínuo,-a continuous, continual
contra against; **en contra de** against, in opposition to
contrario,-a contrary, opposing; **al contrario** on the contrary
contraste *m* contrast
contratar to contract, hire
contribuir to contribute
controlar to control, dominate
convencer to convince
convenido,-a agreed upon
conveniencia convenience

conversación conversation
conversar to converse, talk
copa cup, glass; **tomar una copa** to have a drink
corazón *m* heart
corbata necktie
correcaminos *m sing* roadrunner
corregir to correct
correo mail; also *pl* the mails; the post office
correr to run
corrida bull fight
corriente *adj* current; *n f* current (water, electricity, etc.)
corrompido,-a corrupt, corrupted
cortés courteous
cortesía courtesy
corto,-a short
cosa thing
coser to sew
costar to cost
costilla rib
costoso,-a costly, expensive
costumbre *f* custom, habit
creación creation, invention
crear to create
crecer to grow
crédito credit
creencia belief
creer to believe, think
criado,-a servant
criar to raise, care for
crimen *m* crime
cristiano,-a Christian
Cristo Christ
criterio criterion, opinion
cruel cruel, mean
cuaderno notebook
cuadro picture
cual which, as, like; **el (la) cual** who, the one who; **¿cuál?** which?, which one?
cualidad quality, virtue, good feature
cualquier,-a *pron* any, whichever, any one
cuando when, whenever; **¿cuándo?** when?
cuanto,-a as much as; *pl* as many as; **¿cuánto?** how much?; *pl* how many?

cuarto *n* room; quarter; **cuarto,-a** *adj* fourth
cuatro four
cubano,-a Cuban
cubrir to cover
cucharón *m* large spoon, ladle
cuchichear to whisper
cuenta bill, tab
cuento story, tale
cuerpo body, corpus
cuestión matter, question
cuidado care; **tener cuidado** to be careful
culpa blame; **tener la culpa** to be to blame
culto,-a cultured, educated
cultura culture; politeness
cultural cultural
cumpleaños *m sing* birthday
cumplir to comply with, fulfill, perform
cura *m* priest; *f* cure
curar to cure
curso course (of studies); program
cuyo,-a whose

—— CH ——

chaqueta jacket
charla chat, talk
charlar to chat, talk
cheque *m* check, bank draft
chicano,-a Chicano, Mexican-American
chico,-a small; *n* little boy, little girl
chillar to screech, cry loudly
chiquillo,-a *n* a very little boy or girl
chofer *m* driver, chauffeur
choza shack, hut

—— D ——

daño harm, damage; **hacer daño** to harm, damage, hurt
dar to give; **dar las seis** to strike six o'clock; **dar un paseo** to take a walk, stroll around; **darse prisa** to hurry up; **darse cuenta de** to realize, become aware of; **dar sueño** to make sleepy

deber to owe; must, ought to; *n m* debt, duty, obligation
debido,-a due to, owing to
débil weak
decano,-a dean
decidir to decide
décimo,-a tenth
decir to say, speak
decisión decision
declarar to declare
dedicar to dedicate
defecto defect
defender to defend
defensa defense
dejar to leave; **dejar de** to stop (doing something)
deleitarse con to enjoy
demás rest (of the)
demasiado *adv* too, too much; **demasiado,-a** *adj* too much
democracia democracy
demonio demon; **¿qué demonios?** what the devil?
demorar to delay
demostrar to show, demonstrate
dentista *m or f* dentist
dentro (de) in, into, inside (of)
depender (de) to depend (on)
deportes *m pl* sports
deportivo,-a sporting, pertaining to sports
derecho,-a right, right-hand *n m* right (as legal right); *m pl* customs duty; *f* right hand
desagradable disagreeable, unpleasant
desaparecer to disappear
desayuno breakfast
descansar to rest
descanso rest
desconocido,-a unknown, unacquainted; *n* stranger
descortesía discourtesy
describir to describe
descripción description
descubrir to discover, uncover
desde since, from; **desde hace cinco años** for five years
deseable desirable
desear to desire, want
desempleo unemployment

deseo desire, wish
desgraciadamente unfortunately, unhappily
desierto desert
desilusión disappointment, disillusionment
desilusionar to disappoint, disillusion; **desilusionarse** to become disappointed
desocupar to vacate, empty
despacio *adv* slowly; **más despacio** slower
despedirse to say good-bye, take leave
despertar to awaken; **despertarse** to wake up
despierto,-a awake, alert
despreciar to scorn
después (de) after, afterwards
destino destiny, future, fortune
destruir to destroy
desventaja disadvantage
detrás (de) behind, in back of
devolver to return (something)
día *m* day; **hoy día** nowadays; **cada día** every day; **todos los días** every day; **buenos días** good morning
diablo devil; **¿qué diablos?** what the hell?
dialecto dialect
diálogo dialogue
dibujo drawing, sketch
diccionario dictionary, word list
dicho,-a said; **lo dicho** what was said; *n m* saying
diciembre December
dictadura dictatorship
diecisiete seventeen
diez ten
diferencia difference
diferente different
difícil difficult
dificultad difficulty
difunto,-a dead person
dilema *m* dilemma
diminutivo,-a diminutive
dinero money
dios,-sa god, goddess; **Dios** *m* God
dirección direction; address

directo,-a direct
dirigir to direct, address; **dirigir la palabra** to speak to
disciplina discipline
disco record (phonograph)
discoteca discoteque
discusión discussion, argument
discutir to argue, debate, discuss
disolución dissolution, dissolving
disponible available
distancia distance
distinguir to distinguish, differentiate
distinto,-a distant, different
distraer to distract
distribución distribution
diversión diversion, entertainment
divertido,-a funny, entertaining
divertirse to enjoy oneself; to amuse oneself, be amused
dividir to divide
doce twelve
doctor,-ra doctor (as a title of address); *n* person with a doctorate
documento document, paper
dolor *m* pain, sorrow
dominante dominant
dominar to dominate, rule
domingo Sunday
dominio dominance, rule
donde where, in which; **¿dónde?** where?
dondequiera wherever
dormir to sleep; **dormirse** to go to sleep
dos two
droga drug (especially as in drug addict)
dudar to doubt
dudoso,-a doubtful
durante during
durar to last, go on, endure

___ E ___

e and (before words beginning with **i** or **hi**)
economía economy
económico,-a economic

echar to throw; **echar de menos** to miss; **echar un piropo** to pay a compliment; **echar de casa** to throw out of the house; **echarse una siestecita** to take a little nap
edad age
edificio building
educación education
educado,-a educated
educar to educate
ejemplo example
ejercer to exercise
ejercicio exercise
elección election
elegante elegant
elemento element
eliminación elimination
eliminar to eliminate
embarazado,-a pregnant
embargo: sin embargo nevertheless
emocionante moving, touching, causing emotion
empezar to begin
emplear to employ
empleo employment, job
empujón *m* push, violent shove
en in, on; **en seguida** at once; **en casa** at home; **en vista de** in view of; **en serio** seriously; **en cuanto** as for, concerning; **en caso de que** in case; **en tren** by train
enajenación alienation
enamorado,-a in love; **estar enamorado,-a de** to be in love with
enamorarse (de) to fall in love (with)
encantar to fascinate, delight
encontrar to find; **encontrarse** to find oneself, be; to meet
energía energy
enero January
énfasis *m* emphasis
enfermarse to get sick
enfermo,-a sick
enhorabuena congratulations
enojado,-a angry
enojarse to get mad, become angry
enorme enormous
enriquecer to enrich

enriquecimiento   enrichment
enseñanza   teaching; **instituciones de enseñanza**   educational institutions
enseñar   to teach
entender   to understand
entero,-a   whole, entire
enterrado,-a   buried
entierro   burial
entonces   then
entrar   to enter, come in
entre   among, between
entregar   to deliver, hand over
entremés *m*   side dish, hors d'oeuvres
enviar   to send
envolver   to wrap
episodio   episode
epitafio   epitaph
época   epoch
equipaje *m*   baggage, luggage
equipo   team
equivalente   equivalent
equivaler   to be equivalent
equivocado,-a   mistaken
equivocar   to mistake, mix up; **equivocarse**   to be mistaken
erudito,-a   erudite, learned
escala   stopping place; **hacer escala**   to stop, stop over
escándalo   scandal, tumult, commotion
escaparse   to escape
escena   scene
escoger   to choose
escolar   scholastic
escolta   escort
esconder   to hide
Escorpión *m*   Scorpio
escribir   to write; **máquina de escribir**   typewriter; **escribir a máquina**   to type
escrito,-a   written
escritor,-a   writer
escrúpulo   scruple
escuchar   to listen (to)
escuela   school
esa, esas   that, those
ese   that
esencial   essential
esfuerzo   effort
eso   that; **por eso**   therefore

esos   those
espacioso,-a   spacious
espantoso,-a   frightful, dreadful
España   Spain
español,-a   Spanish
especial   special
especie *f*   species, kind
específicamente   specifically
esperanza   hope
esperar   to hope, expect; to wait for, await
espía *m or f*   spy
espiritual   spiritual
esposa   wife
esposo   husband
esquela   note, notice
esquema   plan, outline
esquiar   to ski
esquina   corner
establecer   to establish
estación   station; season
estacionamiento   parking
estado   state
estar   to be; **estar en casa**   to be at home; **estar de acuerdo**   to agree; **estar de vacaciones**   to be on vacation
esta, estas   this, these
este   this
esterilizar   to sterilize
esto   this
estos   these
estrella   star
estructura   structure
estudiante *m or f*   student
estudiantil   student *(adj)*
estudiar   to study
estudio   study
eternidad   eternity
eterno,-a   eternal
Europa   Europe
europeo,-a   European
evaluación   evaluation
evidente   evident
evitar   to avoid
evolución   evolution
evolucionar   to evolve
examen *m*   examination
excelente   excellent
excepto   except
excesivo,-a   excessive
exceso   excess

exequias *f pl* exequies, obsequies, funeral rites
exigir to require, demand
existir to exist
éxito success; **tener éxito** to be successful
explicación explanation
explicar to explain
explorar to explore
expresar to express
expresión expression
expulsar to expel
extender to extend
extranjero,-a foreign; *n* foreigner
extraordinariamente extraordinarily

—— **F** ——

fábrica factory
fabricar to make, fabricate
fácil easy
facilidad facility
facilitar to facilitate
facturar to check (baggage)
facultad faculty
falso,-a false
falta lack; **hacer falta** to be necessary; to miss
faltar to be lacking; **eso te faltaba** that's all you need
fallecer to die
fama reputation
familia family
familiar family *(adj)*; *n m* member of the family
familiaridad familiarity
famoso,-a famous
fastidiar to annoy
favor *m* favor; **por favor** please **hacer el favor de** please
favorito,-a favorite
fe *f* faith
febrero February
fecha date
feliz happy
feminista feminist
fenomenal phenomenal
fenómeno phenomenon
fiel faithful
fiesta party, celebration
fijo,-a fixed

fila row
filosofía philosophy
fin *m* end, goal; **al fin** finally; **a fin de que** so that
finca farm
fingir to pretend
firmar to sign
físico,-a physical
flaco,-a thin, skinny
flautista *m or f* flute player
flor *f* flower
fomentar to foment, encourage
fondo fund
forma form
formar to form
foto *f* photo, photograph
francamente frankly
francés,-a French
frase *f* sentence, phrase
frecuencia frequency; **con frecuencia** frequently, often
frecuente frequent
frente concerning; **frente a** opposite
fresco,-a cool; **hacer fresco** to be cool
frijol *m* bean
frío,-a cold
frívolo,-a frivolous
frontera border
fruta fruit
fuego fire
fuera (de) outside (of)
fuerte strong
fuerza force
función function, performance
funcionar to function
fundar to be found
fútbol *m* soccer; football
futuro future

—— **G** ——

galicismo Gallicism
gallo rooster
gana desire
ganar to earn; to win; **ganarse la vida** to earn one's living
garaje *m* garage
gastar to spend
gasto expense, expenditure

Géminis Gemini
generación generation
general general; **por lo
general** generally
generalizado,-a generalized
generoso,-a generous
gente *f* people
gerencia management, office
gira trip
gitano,-a gypsy
gobernación government
gobernante *m or f* governor, ruler
gobernar to govern
gobierno government
gordo,-a fat
gozar to enjoy
grabar to engrave
gracias *f pl* thanks
graduarse to graduate
gramática grammar
gran, grande great, large, big
grandote,-a very large
gratificación gratification
gratuito,-a free
grave serious
gris gray
grito shout
grupo group
guapetón,-a very good-looking
guapito,-a cute, good-looking
guapo,-a good-looking, handsome
guardia guard
gubernamental governmental
guerra war
guerrillero guerrilla
guía *m or f* guide
guiar to guide
guitarrista *m or f* guitar player
gustar to be pleasing, like; **gustarle
a uno** to like
gusto taste; pleasure; **a gusto**
comfortable, "at home"

—— **H** ——

haber to have (as auxiliary verb);
haber de to have to; **hay** there
is, there are; **hay que** one must
habitación room
habitante *m or f* inhabitant

hablar to speak
hacer to do, make; **hace buen
tiempo** the weather is good;
hacer un viaje to take a trip;
hacer una pregunta to ask a
question; **hacer caso** to pay
attention; **hacer daño** to harm,
injure; **hacer sol** to be sunny;
hacer fresco to be cool; **hacer
escala** to stop, stop over; **hacer
falta** to need, be lacking; **hacerse
tarde** to grow late
hacia toward
hallar to find
hamaca hammock
hambre *f* hunger; **muerto de
hambre** dying of hunger; **tener
hambre** to be hungry
haragán,-a idle, lazy, loafing
hasta until, to, up to, even; **hasta
luego** good-bye, see you later
hecho *past part* done, made;
n fact
helado,-a frozen
herencia inheritance
hermana sister
hermano brother; *pl* brothers;
brothers and sisters
hielo ice
higo fig
hija daughter
hijo son; *pl* children; sons and
daughters
hipocresía hypocrisy
hipócrita *m or
f* hypocrite; *adj* hypocritical
hispánico,-a Hispanic
Hispanoamérica Spanish America
historia history; story
histórico,-a historic, historical
hogar *m* home
hojear to leaf through
hola hello, hi
holgazán,-a idle, lazy
hombre *m* man
hora hour
horario timetable
horóscopo horoscope
hoy today; **hoy día** nowadays
hule *m* rubber
humanidad humanity

humano,-a human
huracán *m* hurricane

___ I ___

ibérico,-a Iberian
ida departure; **boleto de ida y vuelta** round-trip ticket
identidad identity
identificar to identify
idioma *m* language
idiota *m or f* idiot
iglesia church
ignorancia ignorance
igual equal, same
igualdad equality
ilustre illustrious
imaginación imagination
imaginario,-a imaginary
impedir to prevent, hinder, block
imperfecto,-a imperfect
importación importation
importancia importance
importante important
importar to be important, matter
imposible impossible
impresionante impressive
impuesto tax
inca *m* Inca
inclinar to tilt
incluir to include
incluso even, including
incorporar to incorporate
increíble incredible
indicar to indicate
indígena indigenous, native, Indian
indio,-a Indian
individualidad individuality
individuo,-a individual
industria industry
inesperado,-a unexpected
inestable unstable
inflación inflation
influencia influence
influir to influence
información information
informar to inform
informe *m* report
ingeniero engineer
Inglaterra English

inglés,-a English
iniciativa initiative
inmediato,-a immediate
inmigrante *m or f* immigrant
inmigrar to immigrate
inmoral immoral
insistir (de) to insist (on)
inspirar to inspire
institución institution
instrucción instruction
inteligencia intelligence
inteligente intelligent
interesante interesting
interesar to interest
íntimo,-a intimate
intrigante *m or f* intriguer
introduccón introduction
invadir to invade
invitación invitation
invitado,-a guest
invitar to invite
ir to go; **irse** to go away
isla island
islámico,-a Islamic
italiano,-a Italian

___ J ___

jardín *m* garden
jefe *m* chief, boss
joven young
juez *m* judge
jugada trick
jugador,-a player
jugar to play (a game)
julio July
junio June
juntar to gather, unite
junto,-a together
justicia justice
juventud youth
juzgar to judge

___ L ___

ladrillo brick
ladrón,-a thief
lamentar to regret, lament
lápiz *m* pencil
largo,-a long

lástima pity
latín,-a Latin
Latinoamérica Latin America
latinoamericano,-a Latin American
lavar to wash
leal loyal
lección lesson
lectura reading
leer to read
lejos far, far away; **lejos de** far from
lengua language
lenguaje *m* language
lentamente slowly
letra letter
letrero sign
levantarse to get up
ley *f* law
liberación liberation
libertad liberty
Libra Libra
libre free; **al aire libre** open-air
librería bookstore
libro book
licenciado lawyer
líder *m* leader
limitar to limit
limón *m* lemon
limosna alms
limpio,-a clean
lingüístico,-a linguistic
lío problem, difficulty
lista list
listo,-a clever, ready
loco,-a crazy
locura madness, insanity
locutor,-a (radio) announcer
losa gravestone
luchar to struggle, fight
luego then; **hasta luego** good-bye, see you later
lugar *m* place
lujoso,-a luxurious
lunes *m* Monday
luz *f* light

—— LL ——

llave *f* key
llegada arrival

llegar to arrive
llenar to fill
lleno,-a full
llevar to have spent or to take (time), to carry, take (transport); **llevarse bien** to get along well with
llorar to cry
llover to rain

—— M ——

machete *m* knife
madre *f* mother
maestro,-a teacher
magia magic
magnífico,-a magnificent
maíz *m* corn
mal *adj and adv* bad, badly; sick; **salir mal** to fail
maleta suitcase
malo,-a bad; **mala jugada** dirty trick
mandar to order, command; to send
mandato mandate
manejar to drive
manera manner, way; **manera de** a way to
manifiesto manifesto
mano *f* hand
mantener to maintain; **mantenerse** to support oneself
manuscrito manuscript
manzana apple
mañana morning; *adv* tomorrow
mapa *m* map
máquina machine; **máquina de escribir** typewriter; **escribir a máquina** to type
maquinaria machinery
maravilloso,-a marvelous, wonderful
marcado,-a marked
marido husband
martes *m* Tuesday
marzo March
más more, most; **más tarde** later; **más valía** it was better, it would have been better; **más de, más que** more than
matar to kill

materia subject, course
matrícula matriculation fee
matrimonio marriage
mayo May
mayor greater; older
mayoría majority
mécanico,-a mechanical; *n*
  m mechanic
mediante by means of
medicina medicine
médico,-a medical; *n m or f* doctor
medio,-a half; mean, average; **por
  medio de** by means of
meditación meditation
mejor better, best
memoria memory; **aprender de
  memoria** to memorize
mencionar to mention
menos minus; less, least; **por lo
  menos** at least; **echar de
  menos** to miss; **a menos
  que** unless
mensual monthly, per month
mentir to lie
menudo: a menudo often
mercado market
merecer to deserve
mes *m* month
mesa table, desk
meter to introduce, put into;
  meterse en to get involved with,
  poke one's nose into
método method
metro subway
metrópoli *f* metropolis
mexicano,-a Mexican
mezcla mixture
miedo fear; **tener miedo** to be
  afraid
miembro member
mientras while
migración migration
mil thousand
milla mile
millón *m* million
minuto minute
mirar to look, look at
misa mass
miseria poverty; **barrio de
  miseria** slum
misión mission

misionero missionary
mismo,-a same; **sí mismo** oneself;
  lo mismo que the same as
moda style; **pasar de moda** to be
  out of style
modelo model
moderación moderation
moderado,-a moderate
moderno,-a modern
modo way; **de modo que** so that;
  de todos modos at any rate
molestar to bother
molestia bother
momento moment
monje *m* monk
montaña mountain
morenita brunette
morir(se) to die
moro,-a Moor
mostrar to show
motivo motive
moto *f* motorcycle
moverse to move
movimiento movement
mozo,-a waiter
muchacha girl
muchacho boy; *pl* boys and girls;
  boys
muchedumbre *f* crowd
mucho,-a much, a lot of, a lot;
  muchas veces often
mudanza move
mudar(se) to move
muerte *f* death
muerto,-a dead, dying
mujer *f* woman; wife
mundial world, world-wide
mundo world
músculo muscle
museo museum
música music
músico,-a musician
muy very

— N —

nacer to be born
nacimiento birth
nación nation
nacional national

nada nothing; anything
nadar to swim
nadie no one, nobody; anyone
naranja orange
narrador,-a narrator
natalidad birth rate
navío ship
necesario,-a necessary
necesidad necessity
necesitar to need
negación negation
negar to deny, refuse
negativo,-a negative
negocio business; **hombre de negocios** businessman
negro,-a black
nervio nerve
nervioso,-a nervous
nieve *f* snow
ninguno,-a none, not any, not one
niño,-a child
noche *f* night; **por la noche** or **de noche** at night; **esta noche** tonight; **de la noche** p.m.; **buenas noches** good evening, good night; **todas las noches** every night
nombre *m* name
norte *m* north
norteamericano,-a North American
nota note; grade
notar to note
noticia news
novedad novelty; **¿hay alguna novedad?** is there any news? is there anything new?
novela novel
novelista *m or f* novelist
noviembre *m* November
novio,-a boyfriend, girlfriend, suitor, fiancé, fiancée
nueve nine
nuevo,-a new; **de nuevo** again, once more
número number
nunca never

___ O ___

obedecer to obey
obispo bishop

obituario obituary
obligación obligation, duty
obligatorio,-a obligatory, required
obra work, labor
obrero,-a worker
obstáculo obstacle, barrier
ocasión occasion
ochenta eighty
ocho eight
octubre *m* October
ocupar to occupy, hold
ocurrir to occur, happen
ofender to offend
oficial official
oficina office
oficio trade, task, business
ofrecer to offer
oír to hear
ojalá God grant, I hope that
ojo eye
oler to smell
olvidarse (de) to forget
omitir to omit, overlook
once eleven
onda wave
operarse to occur, come about; to be operated on
opinar to think
opinión opinion
oportunidad opportunity
optimista optimist, optimistic
oralmente orally
orden *m* order
ordenar to order, put in order
orientar to orient, guide
origen *m* origin, source
oro gold
ortografía orthography, spelling
oscuro,-a dark, obscure
otoño fall, autumn
otro,-a another, other

___ P ___

padre *m* father; priest; *pl* parents
padrino,-a godfather, godmother
pagar to pay
país *m* country
pájaro bird
palabra word, term

palo stick, pole, staff
pan *m* bread, loaf of bread
panecillo roll
pantalla motion picture screen
papa potato
papá *m* father, dad
papel *m* paper
para for, in order to, towards, by;
  para que so that
parada stop (train, bus, etc.)
parar to stop; to stay
parcela parcel, piece
parecer to seem, look as if
pareja pair, couple
parque *m* park
parte *f* part, portion; place; **de parte
  de** in behalf of; **por parte de** on
  the part of; **todas partes**
  everywhere
partera midwife
participación participation
participar to participate
partidario,-a partisan, supporter
partido game, match
partir to divide, distribute; to depart
pasaje *m* passage, fare
pasaporte *m* passport
pasar to pass, go, pass through, go
  over to, come to; to spend (time)
pasear to stroll, take a walk or drive
paseo stroll, walk; drive
pasillo passage, corridor
pastel *m* pastry, pie
pato duck
patria native country, fatherland;
  madre patria motherland
paz *f* peace
pecado sin
pedante pedantic
pedir to ask for, request, solicit
peinarse to comb one's hair
película motion picture, film
peligroso,-a dangerous
pelirrojo,-a red-haired, redheaded
pelo hair
pena pain; **valer la pena** to be
  worthwhile
penetrar to penetrate, pierce
península peninsula
pensar to think; to intend to
pensativo,-a pensive, thoughtful
pensión boardinghouse

peor worse, worst
pequeño,-a small
perder to lose
perdonar to pardon, forgive
perezoso,-a lazy
perfección perfection
perfeccionar to perfect
periódico newspaper
periodista *m or f* journalist,
  newspaper man, newspaper woman
permanentemente permanently
permiso permission; permit
permitir to permit, allow
pero but
perrazo,-a large dog
perrito,-a small dog
persona person
personaje *m* personage, literary
  character
personalidad personality
pertenecer to belong, pertain to
pesadilla nightmare
pésame *m* condolence
pesca fishing; catch; **ir de pesca** to
  go fishing
pescador,-a fisherman, fisherwoman
pesimista pessimist, pessimistic
pianista *m or f* pianist
pico peak
pie *m* foot
piel *f* skin, hide, fur
pintoresco,-a picturesque
pintor *m* painter
pirámide *f* pyramid
piropo flattery, compliment
piropo flattery, compliment
piscina swimming pool
pistola pistol
pistolero gunman
placer *m* pleasure
plan *m* plan, scheme
planta plant
platillo saucer
plato plate
playa beach
plaza plaza, town square
plomero plumber
pluma pen; feather
población population
poblar to populate
pobre poor; *n* poor person
pobreza poverty

poco,-a little, scanty; *pl* a few, some; *n m* a little bit; *adv* a little, somewhat, slightly

poder to be able to, can

poderoso,-a powerful, strong

poema *m* poem

poeta *m* poet

poetisa poetess

policía police; *n m* policeman

político,-a political; *n f* politics; *n m* politician

pollo chicken

poner to put, place; **ponerse** to become, turn; to put on (oneself)

poquitín *m* a little (tiny) bit

poquito,-a very little

por by, through, for, for the sake of, because of; **por eso** for that reason; **¿por qué?** why? **por lo tanto** therefore; **por tanto** thus; **por favor** please; **por ejemplo** for example

porque because, for, as

portal *m* portico, entrance hall, vestibule

portátil portable

portero doorman

portarse to behave, act

portugués *m* Portuguese

posibilidad possibility

posible possible

posición position

pozo well, pool, pond

practicar to practice, perform

precio price

preciso,-a necessary

predilecto,-a favorite, preferred

preferencia preference

preferir to prefer

prejuicio prejudice, prejudgement

pregunta question

preguntar to ask, to question

preguntón,-ona inquisitive

premiar to reward

premio prize, award

prensa press; printing press

preocuparse to worry

preparación preparation

preparar to prepare

preparatorio,-a preparatory

presentar to present

preservar to preserve

presidencia presidency

presidente *m* president

prestar to lend

primo,-a cousin

primario,-a primary, elementary

primer, primero,-a first

principal principal, main

principio principle; beginning; **al principio** at first

prioridad priority

prisa haste; **darse prisa** to hurry

probable probable

probar to prove; to test, try

problema *m* problem

procedencia origin, source

proceso process

producir to produce

producto product

profesional professional

profesión profession

profesor,-a professor

profundo,-a deep, profound, radical

programa *m* program, plan of action

prohibir prohibit

prometedor,-a promising

prometer to promise

promulgar to promulgate, proclaim

pronóstico prediction

pronto soon, promptly

propio,-a one's own; appropriate

proponer to propose

propósito purpose, intention

proteger to protect

provocar to provoke; to promote

próximo,-a next, near

psíquico psychic

público,-a public

publicar to publish

pueblo small town; people, nation, citizenry

puerta door

pues then, since

puesto,-a put, placed; *n m* job, position; **puesto que** since

puma *m* puma, American panther

punto point, dot, period; **punto de vista** point of view

— **Q** —

que that, which, who, whom, than; **¿qué?** what? which?; **¿para**

qué? what for?; **¿por qué?**
why?; **el (la, los, las) que** the
one(s) who; **lo que** that which
quedar(se) to remain, stay; to be
located; to end up
quejarse to complain
querer to want
queso cheese
quien who, whom; **¿quién?** who?;
¿a quién? to whom?; **¿de
quién?** about whom?
química chemistry
quince fifteen
quitar to remove, take away;
quitarse to take off
quizás perhaps, maybe

—— R ——

radical radical; basic
raíz *f* root, basis
rapidez *f* rapidity
rápido,-a rapid, fast
raqueta racket
rascacielos *m* skyscraper
rasgo trait, characteristic
rato time, while, little while
ratón *m* mouse
raza race, group, people
razón *f* reason; **tener razón** to be
right
reacción reaction
reaccionario,-a reactionary
realidad reality
realista *m or f* realist
realizar to fulfill, carry out
rebelde *m or f* rebel
receptivo,-a receptive
receta recipe
rechazar to reject, turn down
recibir to receive
reciente recent
recoger to pick up, gather
recomendar to recommend
reconciliar to reconcile
reconocer to recognize
recordar to remember, remind
rector *m* president (of a university)
rectoría office of a president
recuerdo memory, reminder,
remembrance

reducir to reduce
reemplazar to replace
reflejar to reflect
reflexión reflection
reflexivo reflexive
reforma reform
refrán *m* proverb, saying
refresco refreshment, cold drink
regalar to give
regalo gift
región region
registro registration, registry
regresar to return
regulación regulation
reir to laugh; **reírse de** to laugh at
relación relation, relationship
relativamente relatively
religión religion
religioso,-a religious
reloj *m* watch, clock
remedio remedy, help, recourse
reñir to wrangle, quarrel; to fall out
renovar to renovate
repasar to retrace; to review
repaso review
repetir to repeat, do again
representante *m or f* representative
requerir to require, need
requisito requirement
rescate *m* ransom, ransom money
reservar to reserve
resignar(se) to resign; *refl* to
become resigned
resistir to resist
resistencia resistence
resolver to resolve; to solve
respetar to respect
respeto respect
responder to respond, answer
responsabilidad responsibility
responsable responsible
respuesta answer
restaurante *m* restaurant
resto rest, remainder; *pl* remains
restorán *m* restaurant
resuelto *part* resolved, solved
resultar to result, turn out
resumir to summarize, sum up
resumen *m* summary
retirar(se) to retire, withdraw
reunión meeting, reunion, gathering
revisar to revise, review, check

revolución revolution
revolucionario,-a revolutionary
rey *m* king
rezar to pray
rico,-a rich
río river
riqueza riches, richness
risa laugh, laughter
ritmo rhythm
rito rite
robar to rob, steal
rodear to surround; to round up
rogar to beg
rojo,-a red
romano,-a Roman
romántico,-a romantic
romper to break, tear
ropa clothing, clothes
rubio,-a blond
ruina ruin
rumbo bearing, course, direction

___ S ___

sábado Saturday
saber to know, know how
to; *pret* to find out
sabio,-a wise; *n* wise person
sabor *m* taste, flavor
sabroso,-a tasty, delicious
sacar to take out, withdraw, remove
sacrificio sacrifice
sacudir to shake, beat
sala living room, salon, hall
salir to leave, go out, come out
saltar to jump
saludar to greet, salute
salvo,-a safe; omitted;
   salvo *prep* save, except for
sanatorio sanatorium, sanitarium
satisfacer to satisfy
sección section
seco,-a dry
secuestro kidnapping, abduction
secuestrar to kidnap, abduct
secundario,-a secondary
seguida series, succession; **en
   seguida** at once, immediately
seguir to follow; to continue, keep on
según according to
segundo,-a second

seguridad security, certainty; **con
   seguridad** with certainty, surely
seguro,-a sure, safe
seis six
selección selection, choice
semana week
semejante similar
señalar to mark; to show, indicate
sencillo,-a simple
señor Mr.; sir
señora Mrs.; madam
señorita Miss; young lady
sensual sensual, relating to the
   senses
sentar to seat, settle; *refl* to sit
   down
sentimiento sentiment, feeling, sense
sentir to feel; to be sorry
separar to separate
septiembre September
ser to be
serio,-a serious; **tomar en serio** to
   take seriously
servicio service
servir to serve; **servir de** to serve
   as
sicólogo,-a psychologist
siempre always
siesta nap, midday rest
siete seven
siglo century
significado meaning
significar to mean, signify
signo sign, mark
siguiente following, next
silla chair
sillón *m* armchair, easy chair
simpático,-a congenial, likeable
simple simple
sinfonía symphony
sino but
sin without
sistema *m* system
sitio site, place
sobrar to exceed, surpass
sobre over, on, above, about,
   towards; **sobre todo** above all
sobrevivir to survive
sobrino,-a nephew, niece
sociedad society
sofisticado,-a sophisticated
sol *m* sun

solamente only
solemne solemn, holy
soler to be in the habit of, used to, accustomed to
solicitar to solicit, ask for
solidaridad solidarity
solo,-a alone, only, sole; **sólo** only
soltero,-a single, unmarried
soñar to dream
sopa soup
sorprender to surprise
subir to rise; to go up; to raise; **subir a** to climb
subordinar to subordinate
subterráneo,-a subterranean, underground
sucio,-a dirty, filthy
sudor *m* sweat
suelto *m* small change
sueño dream; **tener sueño** to be sleepy
suerte *f* luck, fortune
suficiente sufficient, adequate
sufrir to suffer, to undergo
sugerir to suggest
suicidarse to commit suicide
sumamente exceedingly, extremely
superhombre superman
supermercado supermarket
supersticioso,-a superstitious
suponer to suppose, presuppose
suprimir to supress
sur *m* south
suroeste *m* southwest
surrealista surrealistic
sutil subtle, keen

—— **T** ——

tacaño,-a stingy
tal such, so, as; **tal vez** perhaps
taller *m* shop, workshop; factory
tamaño size
también also
tan so, as
tanto,-a so much, as much; *pl* so many, as many
tarde *f* afternoon; *adv* late; **más tarde** later
tarea task; homework
tarjeta card

taza cup
teatro theater
techo roof, ceiling
técnico,-a technical
tecnológico,-a technological
telefonista *m or f* telephone operator
teléfono telephone
telegrama *m* telegram
telenovela soap opera
televisión television
televisor *m* television set
tema *m* theme
temer to fear, be afraid
temprano early
tendencia tendency
tendero,-a shopkeeper, storekeeper
tener to have, possess, hold; **tener que** to have to
tentación temptation
tercero,-a third
terminar to end, terminate, finish
término term
tío,-a uncle; aunt
tiburón *m* shark
tiempo time; weather
tienda store
tender to tend to, have a tendency toward
tierra earth, land
típico,-a typical
tipo type, kind, sort
toalla towel
tocar to touch; to play (instrument)
todavía still, yet
todo,-a all, everything; *pl* everyone; all of; **todo el mundo** everyone, everybody; **de todos modos** anyway; **todos los días** every day; **todo el día** all day
tomar to take; to drink
tomate *m* tomato
tontería foolishness, nonsense
tonto,-a foolish, stupid, silly
torero,-a bullfighter
tormenta torment, anguish
toro bull
torre *f* tower
trabajador,-a worker
trabajar to work
tradición tradition

tradicional traditional
traducir to translate
traductor,-a translator
traer to bring
tragedia tragedy
traje m suit
transitorio,-a transitory, temporary
transmitir to transmit, relay
transporte m transport, transportation
trascendental transcendental, far-reaching
tratar to treat; to try; **tratar de** to deal with
trece thirteen
tremendo,-a tremendous, huge
tren m train
tres three
tristeza sadness
triunfar to triumph, win
trompeta trumpet
tropezar to stumble, trip
turismo tourism
turista m or f tourist
turístico,-a of or relating to tourism
último,-a last, ultimate
único,-a only, unique
unidad unity, unit
unido,-a united; **Estados Unidos** United States
uniforme adj uniform; n m uniform
unir(se) to unite
universidad university
universitario,-a of or relating to the university
urbano,-a urban, pertaining to cities
usar to use
uso use; **hacer uso de** to make use of
útil useful
utilización utilization
utilizar to utilize, use
uva grape

___ **V** ___

vacaciones vacation; **estar de vacaciones** to be on vacation
vacilar to vacillate

valer to be worth
valiente valiant, brave
valor m value; bravery, valor
variar to vary, mix
variedad variety
varios,-as various, several, some, a few
vaso glass
vecino,-a neighbor
vegetal m vegetable
veinte twenty
veintidós twenty two
velación watch, vigil, wake
velar to watch over, hold a wake over
velorio wake, vigil
veloz swift, rapid
vencer to defeat
vender to sell
venir to come
ventaja advantage
ventana window
ver to see
verano summer
verbo verb
verdad truth
verdadero,-a true, real
verde green
verificar to verify, confirm
vestido-a dressed, clad
vestir(se) to dress
vez f time, turn; **en vez de** instead of; **tal vez** perhaps; **a su vez** in its turn; **de vez en cuando** from time to time; **alguna vez** sometime; pl **veces** times; **muchas veces** many times
viajar to travel
viajero,-a traveler
víctima m or f victim
vida life
viejo,-a old, elderly
viernes m Friday
vincular to bind, tie
visita visit; caller; **ir de visitas** to go calling
visitar to visit
vista view; **punto de vista** point of view
visto,-a seen
vitrina showcase, display window

viudo,-a   widower, widow
vivir   to live
vocabulario   vocabulary
voz *f*   voice; *pl* **voces**
voluntad   will
volver   to return
votar   to vote
vuelto,-a   returned

_____ **Y** _____

yacer   to lie
ya   already, right away, now

_____ **Z** _____

zapato   shoe
zona   zone.

Grammatical Index

Illustration Credits